il Cenacolo

Guida al Refettorio
e a Santa Maria delle Grazie

D1511676

il Cenacolo

Pietro C. Marani
Roberto Cecchi
Germano Mulazzani

Guida al Refettorio
e a Santa Maria delle Grazie

Electa

copertina
Santa Maria delle Grazie,
particolare delle volte delle cappelle

Una realizzazione editoriale di Electa, Milano
Elemond Editori Associati

Sommario

**Piantina di Santa Maria delle Grazie
con il refettorio**

Legenda

I   chiostro grande
II   refettorio con il *Cenacolo*
III   chiesa di Santa Maria delle Grazie
IV   tribuna bramantesca e coro
V   cappella della Madonna delle Grazie
VI   nuova sagrestia
VII   chiostrino
VIII sagrestia Vecchia
IX   chiostro del Priore

❶   Leonardo, *Cenacolo*
❷   Donato Montorfano, *Crocifissione*
❸   cappella di santa Caterina
❹   affreschi di Gaudenzio Ferrari
❺   coro ligneo
❻   volta con i "nodi" leonardeschi
❼   affreschi nella cappella
      della Madonna

I servizi

🅐   *accoglienza
      e biglietteria*

🅑   *toilettes*

🅒   *libreria*

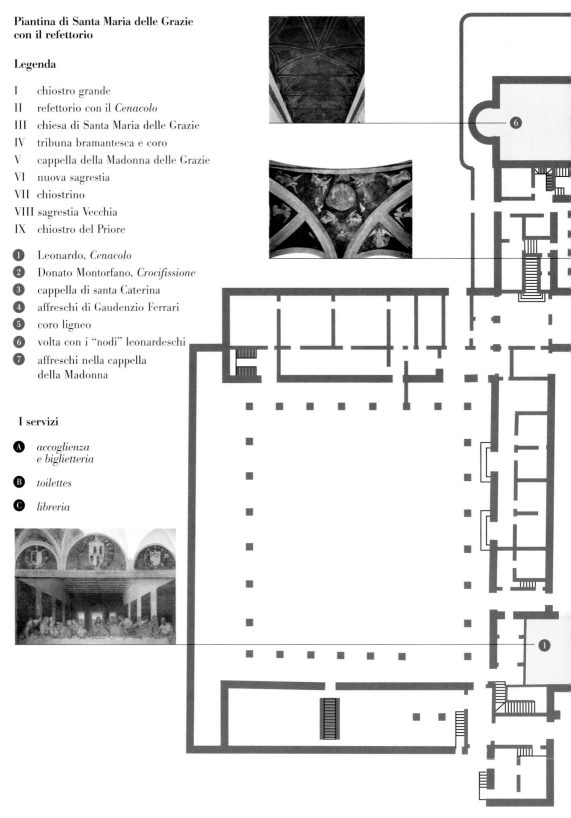

6

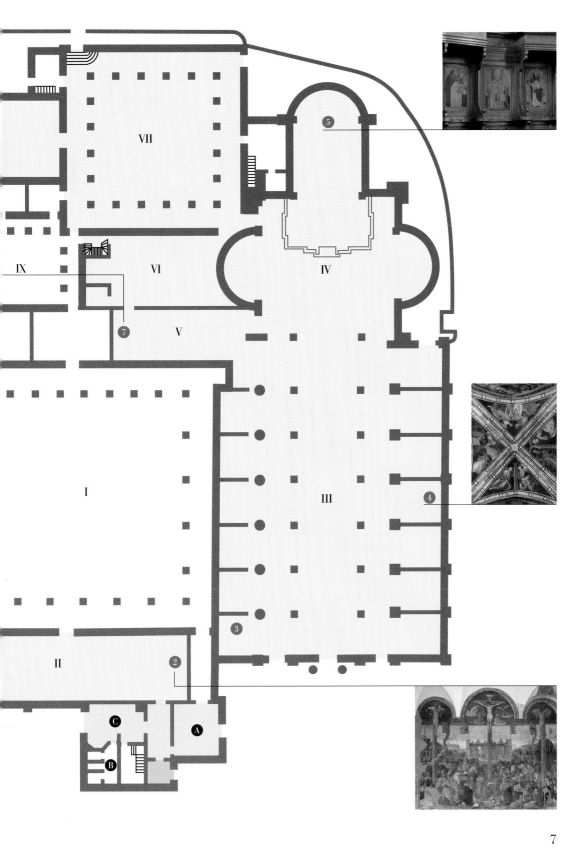

Il restauro del *Cenacolo*

A distanza di oltre vent'anni dall'inizio del restauro, il *Cenacolo* di Leonardo si restituisce oggi alla cultura internazionale e al pubblico a un grado di leggibilità quale forse non era stato più possibile ottenere dal Cinquecento. Non che fra gli scopi che ci si era proposti all'inizio della delicatissima campagna di restauri fosse prevalente l'intenzione, e l'illusione, di ritrovare il testo pittorico di Leonardo tale e quale Leonardo lo aveva lasciato dopo aver deposto per l'ultima volta il pennello. Prevalevano invece le preoccupazioni per la conservazione degli strati di colore originali di Leonardo che ancora – e se ne aveva la certezza – potevano essere sopravvissuti durante i cinque secoli della sua travagliatissima storia, anche se la qualità e la quantità dei ritrovamenti è stata tale da superare ogni aspettativa. Il dipinto ci giunge infatti comunque alterato e deformato, e non solo a causa del tempo e delle vicissitudini subite, ma anche a causa delle letture critiche e delle interpretazioni che ne sono state fatte nel passato, a causa delle copie che ne sono state tratte, e, non ultimo, a causa dell'immagine che si è sedimentata finora nella coscienza collettiva. Così, mentre i frammenti disvelati dal restauro attuale dimostrano pur sempre la loro antichità e i "segni" del tempo su di essi (quello che potrebbe comunemente definirsi come "lo spessore" storico della pittura), uno sforzo molto grande si rende necessario, da parte del visitatore, per raccordare all'"idea" sedimentata nella sua mente (in forza delle numerose riproduzioni popolari, delle fotografie comunemente circolanti, tutte ritoccate e alterate per offrire un'immagine più completa possibile della pittura) la nuova immagine che deriva dal compimento del lavoro attuale. Il testo pittorico si presenta certo in condizioni di frammento, intervallato da ampie zone in cui nulla sopravvive dell'originale. Ma i frammenti di pittura, dai colori intensi e brillanti, fra loro collegati da cautissime integrazioni all'acquerello in sottolivello (in modo da rendere sempre evidente dove finisca la pittura originale e dove inizino le aree in cui esso è perduto) concorrono a formare ora un'immagine più attendibile e più vicina al perduto insieme originario di quanto non facessero le totali ridipinture settecentesche che, oltre ad alterare e deformare visi, espressioni, atteggiamenti e colori, avevano anche celato per oltre due secoli l'effetto generale della composizione, annullando ogni suggerimento di profondità, e, soprattutto, cancellando il calibratissimo gioco di luce e ombra che conferisce oggi al dipinto, frammentariamente ritrovato, quell'equilibrio tonale col quale Leonardo aveva risolto il problema del rapporto fra "chiaroscuro" e colore.

Ripubblicando il mio testo sul *Cenacolo* dopo quasi quindici anni dal suo primo apparire, non ho ritenuto di intervenire nella sostanza del discorso, anche perché esso voleva essere, ed è, un primo approccio, storicamente orientato, alla visione e alla comprensione della celebre pittura murale. Esso risulta quindi pressoché inalterato in tutta la sua prima parte (quella appunto che tenta di ricostruirne la storia e il significato), mentre qualche rettifica e aggiunta si è resa necessaria nella sua parte finale, là dove si accenna appunto ai risultati del restauro, allora in corso d'opera, e oggi giunto alla sua conclusione. Dato che questa impegnativa campagna di restauro ha anche risentito della sua lunga durata, con sensibili cambiamenti di indirizzo e di metodologia (ma pur sempre mantenendo l'alto grado di recupero filologico che l'aveva ispirato sin dall'inizio), che si sono riflessi nei resoconti e negli studi che hanno accompagnato l'evolversi dell'intervento, si è anche aggiunta una nota bibliografica in fine, dove il lettore più interessato potrà trovare motivo d'approfondimento. Uno dei dati materiali che il restauro ha definitivamente confermato, riesaminando recentissimamente le stratigrafie, riguarda, per esempio, il tipo di tecnica impiegata da Leonardo: le analisi chimiche e fisiche condotte sui campioni di pittura hanno stabilito oltre ogni ragionevole dubbio che si tratta di una pittura a tempera, forse poi velata in alcuni punti con olio, su due strati di preparazione gessosa. E su un altro fronte, quello dell'interpretazione dello schema prospettico adottato da Leonardo, il ritrovamento delle linee incise da Leonardo nella parte superiore sinistra della composizione e la definitiva lettura della fascia all'estrema destra dopo il primo arazzo come un intervallo di muro raffigurato in prospettiva, hanno consentito di confermare che l'artista abbia riprodotto sulla parete un ambiente fittizio più largo del refettorio reale, per suggerire uno sfondamento illusionistico della parete assai più scenografico, dal quale irrompessero con evidenza tridimensionale la tavola e le figure di Cristo e degli Apostoli.

P.C.M.

Il *Cenacolo* di Leonardo

Pietro C. Marani

Pietro C. Marani

Veduta interna del refettorio della chiesa di Santa Maria delle Grazie

Il refettorio danneggiato dai bombardamenti dell'agosto 1943

Un foglio conservato nella Royal Library a Windsor Castle, n. 12542 r, ci trasmette i primi pensieri di Leonardo per l'*Ultima Cena* di Santa Maria delle Grazie[1]. Vi compaiono cinque studi di figura: nel più grande, in alto nel foglio, è raffigurato il raggruppamento di otto o nove apostoli e del Cristo, con Giuda che siede al di qua della tavola; la scena è ambientata contro una parete su cui s'impostano i peducci di una volta che determinano una teoria di lunette, proprio come accade realmente nelle pareti lunghe del refettorio delle Grazie (anche se non si può assolutamente credere che Leonardo pensasse di raffigurare la *Cena* su una di queste pareti: le figure sarebbero infatti risultate enormi).

Il disegno, cui imprime animazione il segno a penna mobilissimo e guizzante, è volutamente abbreviato: le teste sono appena definite nei loro lineamenti da tratti incrociati, descriventi le arcate sopraccigliari e il naso, e da macchie.

Il secondo disegno, a destra del foglio, rappresenta invece, in scala leggermente maggiore rispetto al precedente, il gruppo di Cristo, Giovanni, Pietro e Giuda secondo le parole del Vangelo di Giovanni (13, 21-26): "Dette queste cose, Gesù si commosse profondamente e dichiarò: 'In verità, in verità, vi dico: uno di voi mi tradirà'. I discepoli si guardarono gli uni gli altri, non sapendo di chi parlasse. Ora uno dei discepoli, quello che Gesù amava, si trovava a tavola a fianco di Gesù. Simon Pietro gli fece un cenno e gli disse: 'Di' chi è colui a cui si riferisce?' Ed egli reclinandosi così sul petto di Gesù, gli disse: 'Signore, chi è?' Rispose allora Gesù: 'È colui per il quale intingerò un boccone e glielo darò'. E intinto il boccone, lo prese e lo diede a Giuda Iscariota, figlio di Simone". Leonardo ha dunque dapprima scelto di raffigurare il momento su cui già da secoli si era esercitata la tradizione figurativa: quello in cui Cristo dà il pane a Giuda, così identificandolo come il traditore.

Come ha riferito Jack Wasserman, fra le prime raffigurazioni di quest'episodio riportato da Giovanni (Luca parla invece dell'identificazione di Giuda attraverso il congiungimento delle sue mani con quelle di Cristo, scena che non sembra sia mai stata rappresentata nell'arte) sono da annoverarsi, ad esempio, un rilievo della cattedrale di Volterra, un al-

tro, del XII secolo, in San Giovanni Fuoricivitas a Pistoia, e
un affresco trecentesco nell'abbazia di Viboldone, appena
fuori Milano[2].

Ma ciò che più colpisce, nel disegno di Leonardo, è lo
straordinario particolare del braccio sinistro del Cristo pre-
sentato in due posizioni: l'una distesa, nell'atto di raccoglie-
re o porgere il pane, l'altra contratta, nel gesto di indicare o
di muoversi verso il piatto. Ne risulta una sorta di sequenza
per fotogrammi che imprime azione e vita alla scena. Questa si carica inoltre della reazione dell'apostolo Pietro che,
come stupito, con aria inquisitiva e arcigna, scruta Giuda
portandosi la mano alla fronte, espressione a sua volta in
contrasto con quella di Cristo, che è invece già dolente, pie-
tosa e rassegnata. È veramente incredibile come in pochi
tratti e macchie di penna, e in pochi centimetri di carta,
Leonardo sia riuscito a concentrare tali variazioni di attitudini, movimenti, espressioni e significati. E ciò fa sempre più
rimpiangere che sul grandioso dipinto murale, dove ben
maggiori devono essere state le sottili variazioni, rispondenze e risonanze fra personaggio e personaggio, molto sia an-
dato perduto. Ancora più importante risulta perciò questo
foglio di Windsor, e fra i superstiti e preparatori al dipinto,
certamente il più significativo[3].

A ciò si deve aggiungere un'altra serie di considerazioni preliminari all'accostamento al capolavoro leonardiano. Il foglio qui discusso, Windsor 12542, oltre ad altri disegni di figure in rapporto col *Cenacolo*, presenta, tanto nel recto
quanto nel verso, diversi studi di architettura, geometria e
meccanica, particolarmente interessanti, sia per una conferma della datazione del foglio attorno al 1492-1494, sia perché pongono in rapporto gli studi per il *Cenacolo*, e il *Cenacolo* stesso, con un periodo particolarissimo dell'attività di
Leonardo, contraddistinto da un'amplissima sfera di interes-
si e di ricerche. È il decennio 1490-1499, uno dei più fervi-

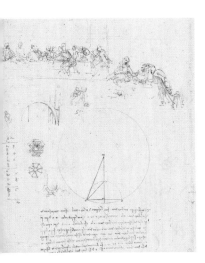

Leonardo, Studi per il Cenacolo. Windsor Castle, Royal Collection, (n. 12542 r)

di e stimolanti per Leonardo, e non solo per la sua attività artistica. Egli si dedica in questo periodo con particolare intensità, per esempio, anche allo studio del moto e dei fenomeni meccanici e questo in parallelo all'elaborazione di osservazioni e note da far poi confluire, così almeno egli sperava, in un coerente e organico *Trattato della pittura*. Il riflesso degli studi di meccanica, di balistica, di quelli sulla ripercussione del moto dei razzi visivi, del suono e, finalmente di quelli anatomici intesi come studi di meccanica applicata al corpo umano, è già facilmente individuabile nel disegno 12542 r di Windsor e confluisce interamente nel *Cenacolo*.

Nel dipinto non ritroviamo però la raffigurazione del momento della storia della Passione che Leonardo aveva scelto in una fase iniziale degli studi preparatori, quale quella trasmessa dal foglio di Windsor. Leonardo, non sappiamo attraverso quali stadi progettuali e disegni, presenta nel dipinto il momento immediatamente precedente l'identificazione di Giuda, quello in cui egli pronuncia le parole "Uno di voi mi tradirà", parole che producono l'immediato stupore e la reazione emotiva degli apostoli, con Pietro che si rivolge a Giovanni per chiedergli di interrogare Gesù, proprio come dichiara il passo del Vangelo di Giovanni sopra citato (per questo Giovanni non appare reclinato sul petto di Gesù, come nelle raffigurazioni tradizionali dell'*Ultima Cena*, ma se ne discosta in quanto invitato da Pietro a chiedere spiegazioni a Cristo). Ecco dunque le parole di Cristo "Uno di voi mi tradirà" ripercuotersi come onde sonore sugli apostoli, rimbalzando da uno all'altro e determinando la varietà dei loro gesti, delle loro attitudini e dei movimenti, come se si trattasse della perfetta trasposizione figurata del diagramma di una legge acustica, di ottica e di dinamica[4], dove le reazioni differenziate degli apostoli equivalgono al differente grado di riflessione e rimbalzo di un razzo visivo a seconda del tipo di superficie che lo riflette. Ciò viene confermato da alcune osservazioni di Leonardo e, in particolare, da due passi che si trovano in un manoscritto interamente dedicato a problemi d'ombra e lume, il Ms. C dell'Institut de France, foglio 16 r, databile attorno al 1490, in cui Leonardo paragona la diffusione del suono a quella dei razzi visivi: "De' moti rifressi. Io disidero difinire perché i moti corporei e spirituali, dopo la percussione da loro fatta nell'obbietto, risaltino indirieto infra equali angoli. De' moti corporei. La buoce [voce] d'eco dico essere refressa dalla percussione all'orecchio, come all'occhio le percussioni fatte nelli specchi dalle spezie delli obbietti. E sì come le similitudine cadenti dalla cosa allo specchio e dallo specchio all'occhio infra equali angoli, così infra equali angoli caderà e risalterà la voce nella concavità dalla prima percussione all'orecchio".

Leonardo, Studio per le mani di Giovanni. Windsor Castle, Royal Collection (n. 12543)

Queste similitudini fra la propagazione del suono e quelle dei raggi visivi e, ancora, fra quella e la diffusione delle onde nell'acqua attorno ad un punto percosso, si rintracciano anche in manoscritti quasi esclusivamente dedicati a problemi di pittura come, ad esempio, ai fogli 9 v e 19 v del Ms. A di Parigi, 1490-1492 circa, e ancora nel Ms. H, foglio 67 r[5], e in un foglio più antico, 1490 circa, del Codice Atlantico, il foglio 1041 r (ex foglio 373 r-b) che reca la seguente conclusione: "La pietra, dove percuote la summità de l'acqua, causa circa sé circuli, i quali tanto vanno ampliando che si perdeno; e anche l'aria, percossa da voce o da strepito, similmente, partendosi circularmente, se va perdendo sì che el più vicino meglio intende e 'l più lontano manco ode". Parole che sembrano proprio fornire un'illustrazione letterale degli atteggiamenti degli apostoli intorno a Cristo. Non si può, insomma, nell'accostarsi all'*Ultima Cena*, prescindere dai diramati studi di ottica, di meccanica e di dinamica che hanno occupato Leonardo negli anni immediatamente precedenti e in quelli stessi in cui compiva il dipinto. In questo, nonostante il fin troppo esibito schema prospettico (apparentemente così semplice da nascondere per questo un'altra chiave di lettura), sembra perfino di rintracciare un rimando alla stessa forma circolare, sempre amata da Leonardo in quanto propulsiva di vita e allusiva ad armoniosi rimandi. Il raggruppamento delle figure a tre a tre, spesso sot-

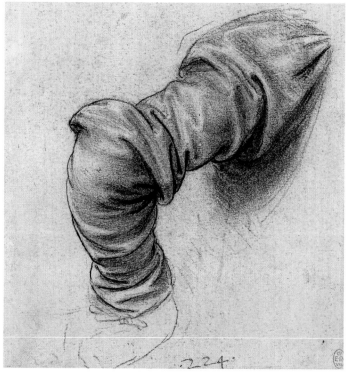

Leonardo, Studio per il braccio destro di Pietro. Windsor Castle, Royal Collection (n. 12546)

14

Leonardo, *Studio per il piede destro di Cristo. Windsor Castle, Royal Collection (n. 12635 r)*

Leonardo, *Studio per la testa di Giuda. Windsor Castle, Royal Collection (n. 12547)*

tolineato dalla critica, come governato da una forza che si espande dal centro della composizione – il Cristo – verso l'esterno, ma che ritorna ad avvicinarsi al suo nucleo propagatore proprio come un'onda "refressa" – il gruppo dei tre apostoli all'immediata sinistra del Cristo, con Giacomo e Tommaso che si protendono verso di lui –, non è infatti l'unica trama che colleghi la varietà delle figure e dei movimenti. Uno schema più generale e di più ampio respiro, a guisa di un grande semicerchio, come a descrivere un'abside, sembra presiedere alla disposizione degli apostoli intorno a Cristo. Questa sensazione sembra suggerita dal maggior peso ottico delle figure all'estremità della tavola e dall'allontanamento verso piani più profondi di quelle situate nelle zone intermedie. La profondità di questa vasta nicchia sembra misurata nel suo spessore dall'apertura delle braccia di Giacomo Maggiore e in essa – in pianta sarebbe una specie di "lunula" – trova esatta collocazione la tavola drappeggiata che, per essere molto lunga, sembra a sua volta produrre l'effetto ottico di una maggior altezza verso il suo centro, così equilibrando, avanzandolo, l'arretramento del Cristo. Gli apostoli sembrano così disposti come raggi di una ruota verso di lui, anche se sono evidenti, negli assi delle figure, variazioni che differiscono da questo schema generale.

Più che la gestualità in chiave espressiva delle mani, forse non esente da espedienti retorici, più sottili variazioni sono percepibili nelle inclinazioni delle teste: due sole appaiono in netto profilo ed esattamente perpendicolari alla tavola, quelle di Bartolomeo e di Matteo, ai lati opposti della tavola; una, quella di Simone, in "profil perdu", come se ruotasse entro lo spazio, mentre le altre sono disposte ora di tre quarti, ora inclinate rispetto al piano frontale del dipinto, con una casistica che rifugge dalla presentazione ortogonale. Anche la seconda testa da sinistra, che sembra di profilo, dovrebbe essere, in realtà, leggermente inclinata verso il primo piano, come si può ben scorgere nella copia della Royal Academy di Londra (una delle copie più antiche e più fedeli) e come si potrà forse meglio intendere anche nel dipinto murale quando il restauro sarà avanzato in questa zona.

La testa di Cristo, sia perché evidenzi il punto di fuga prospettico, sia perché segni un'effettiva profondità spaziale rispetto al piano della mensa, risulta di dimensioni leggermente inferiori alle altre (circa 33 cm di altezza), laddove queste, comprese quelle estreme (Bartolomeo e Simone) che sembrerebbero più grandi, hanno quasi tutte una stessa altezza (36-37 cm). Quest'uniformazione della grandezza delle teste, però attenuata dallo scorciare di quelle che si situano obliquamente rispetto al piano del dipinto, può talvolta produrre un senso di fastidio, come se esse affiorassero in

*Leonardo, lunetta
centrale sovrastante
il Cenacolo*

superficie verso il piano frontale della mensa: la testa di Tommaso, per esempio, che pur dovrebbe situarsi ben in profondità ed essere perciò più piccola, è invece più alta di quella del Cristo. Con tutto questo è però indubbio che Leonardo volesse offrire un compendio quanto mai vasto dei "moti dell'animo" riflessi nelle molteplici attitudini ed espressioni umane (dagli studi per le espressioni degli apostoli derivano molto probabilmente i numerosi disegni di teste "caricate" e anche le "teste grottesche", dove gli studi di fisiognomica sono portati alle estreme conseguenze).

Quale altro "test", quali altre parole, se non quelle pronunciate dal Cristo, potevano servire a illustrare le teorie artistiche ed estetiche di Leonardo a questo proposito, fatte esplicite anche dal contemporaneo memorandum del Codice Foster II, fogli 62 v-63 r[6], e da diverse note per il *Trattato della pittura*, come, per esempio, da questa: "Tanto sono varj i movimenti degli uomini, quante sono le varietà degli accidenti che discorrono per le loro menti: e ciascuno accidente in sé muove più o meno essi uomini, secondo che saranno di maggior potenza, e secondo l'età; perché altro moto farà sopra un medesimo caso un giovane che un vecchio", dove la terminologia (movimenti, accidenti, muove, maggior potenza, moto...) e il processo mentale sottinteso sono quelli stessi che Leonardo applica, nella meccanica e nella dinamica, allo studio delle cause del moto "accidentale" o indotto.

Leonardo, lunette di destra
e di sinistra sovrastanti
il Cenacolo; lunetta della parete
sinistra

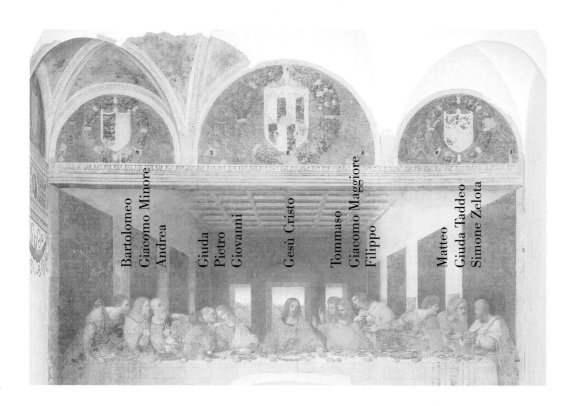

Bartolomeo
Giacomo Minore
Andrea

Giuda
Pietro
Giovanni

Gesù Cristo

Tommaso
Giacomo Maggiore
Filippo

Matteo
Giuda Taddeo
Simone Zelota

Schema del Cenacolo

Se questa concatenazione di moti spirituali e di reazioni in termini di attitudini e fisionomie è ciò che Leonardo intendeva consegnare alla storia come forma compiuta del suo manifesto programmatico (perfettamente aderente alla visualizzazione di un passo dei Vangeli), il contesto spaziale – l'invaso a prima vista rettangolare del finto refettorio in cui si collocano Gesù e gli apostoli – risulta allora un semplice contenitore, realizzato non tanto per dare continuità illusoria al refettorio reale (anche se, anticamente, quest'effetto doveva essere assai più evidente che non oggi, soprattutto se pensiamo ai toni chiari che vanno ora apparendo e all'illuminazione originaria della stanza)[7], ma per accelerare e concentrare la scena su Cristo, sull'attore principale del dramma che si compie davanti a noi e da cui scaturisce tutto il "moto", leonardianamente inteso ("il moto nasce dalla forza", con un'allusione evidente alla forza spirituale di Cristo, essendo nota la definizione assegnata da Leonardo stesso alla forza: "forza è una virtù spirituale"), in una prefigurazione precisa anche di teorie vinciane più tarde che fanno riferimento al "Primo Motore", a Dio, su cui si è ben soffermato recentemente Martin Kemp[8]. La parola di Cristo, il Verbo di Dio, anima la scena raffigurata e imprime perciò vita e moto all'universo tutto.

Il problema della costruzione prospettica del *Cenacolo*, dopo quanto esposto, risulta perfino marginale e non potrà for-

A fronte
Leonardo, Lunetta, particolare

21

*Leonardo, Cenacolo,
particolare degli apostoli
di sinistra*

Leonardo, Cenacolo,
particolare di Cristo
con gli apostoli

A fronte
*Leonardo, Cenacolo,
particolare degli apostoli
di destra*

se essere mai risolto definitivamente, forse nemmeno dopo che saranno state ben rilevate e studiate anche le linee incise recentemente messe in luce nella parte alta della composizione[9], in quanto volutamente lasciato ambiguo da Leonardo stesso che sembra aver deliberatamente occultato i pochi appigli sicuri per una eventuale ricostruzione dello schema prospettico (le due pareti dipinte proseguono infatti oltre il piano frontale del dipinto) e aver impresso alla stanza una prospettiva accelerata più che una prospettiva staticamente codificata dalla tradizione fiorentina che egli, contemporaneamente, stava peraltro rimettendo in discussione[10]. Ne risulta così, più che l'immagine in prospettiva di una stanza rettangolare, l'immagine contratta di un invaso trapezoidale. Il problema prospettico non va in ogni caso disgiunto dal tema e dalle teorie sui "moti dell'anima" che Leonardo ha inteso per prima cosa raffigurare, né, tanto meno, considerato un problema fine a se stesso. Piuttosto, allora, lo spazio architettonico raffigurato serve all'artista a saggiare altre ipotesi, a verificare le sue teorie "d'ombra e lume" e a fornirne un esempio, in perfetta assonanza con i diagrammi e le annotazioni presenti nel Ms. C di Parigi.

La stanza dipinta alle spalle degli apostoli è il banco di prova di una complicatissima situazione luministica: tre differenti fonti di luce provengono dal fondo, intrecciandosi come tre fasci di luce che, attraverso tre pertugi, vengano a illuminare una scatola ottica; da sinistra proviene poi una luce più forte che Leonardo ha voluto coincidesse, più o meno, con quella reale che penetrava dalle finestre sulla parete sinistra del refettorio; infine esiste una luce proveniente dal refettorio stesso, ortogonale, o quasi, al piano del dipinto. Ecco quindi che la parete della stanza dipinta, a sinistra, è quasi completamente in ombra; ma l'ombra, verso il punto di fuga, dovrebbe essere rischiarata dalla luce che penetra dalle finestre. Sulla parete di destra, quasi totalmente illuminata, ecco però la zona terminale lievemente in ombra (una fascia verticale d'ombra in corrispondenza dell'ultimo arazzo: è una sottigliezza andata purtroppo in gran parte perduta nell'originale, ma visibilissima in alcune copie e perfino nell'acquerello del Dutertre), con un effetto di ombra (quella prodotta dalla porzione della parete di fondo a fianco della prima finestra di destra) illuminata (dalla sorgente di luce che coincide con quella delle finestre reali). I bellissimi disegni del Ms. C di Parigi testimoniano come alla base di questa illuminazione differenziata stiano decine e decine di studi sulle ombre proprie, percosse e ripercosse, e un passo del foglio 14 v sembra la prefigurazione dell'"esperimento ottico" raffigurato nel *Cenacolo:* "Ombra ripercossa è quella che è circundata d'alluminata parete".

Così strette sono le rispondenze fra quanto Leonardo ha

rappresentato nel *Cenacolo* e i suoi studi contemporanei, che non mi convince in pieno nemmeno la proposta di interpretare la *Cena* e i gesti del Cristo e degli apostoli come simbolici dell'istituzione dell'Eucaristia, soprattutto se questa tesi viene innalzata a univoca chiave di lettura del dipinto. Questo momento, anteriore alla rivelazione del tradimento, non richiedeva affatto un riscontro emotivo e drammatico quale quello che dichiarano invece i moti e le attitudini degli apostoli. Marco (14, 22-25) riferisce che "mentre mangiavano Gesù prese il pane e, pronunziata la benedizione, lo spezzò e lo diede loro, dicendo: 'Prendete, questo è il mio corpo'. Poi prese il calice e rese grazie, lo diede loro e ne bevvero tutti. E disse: 'Questo è il mio sangue...'"

Nel dipinto gli apostoli né mangiano, né bevono, né ricevono la benedizione, e neppure il Cristo compie i gesti indicati da Marco. Infine, nemmeno il gesto di Simone, all'estrema destra, è quello di ricevere il pane e il vino, come si vorrebbe vedere ora dopo il restauro[11]; non si tratta qui di un gesto "rituale" ma, molto più semplicemente, di chi stende le mani nell'atto di interrogare o di interrogarsi senza potersi dare una risposta ("l'altro colle mani aperte mostra le palme di quelle... e la bocca della meraviglia" che, pur essendo riferito al terzo apostolo da destra, Andrea, chiarisce i gesti in funzione dello stupore suscitato dalle parole di Cristo).

Anche lo Heydenreich, che pure accoglie la compresenza nel dipinto dell'allusione all'istituzione dell'Eucaristia, lo considera un significato aggiuntivo e solo dopo aver molto insistito sul fatto che l'episodio rappresentato da Leonardo sia quello immediatamente anteriore all'annuncio del tradimento[12], e riserve sull'ipotesi dello Steinberg aveva del resto già formulato anche Anna Maria Brizio[13].

Non si può, d'altro lato, limitarsi neppure a credere che la scena rappresenti un'immagine bloccata a guisa di un fotogramma in un momento univocamente interpretabile: il dipinto è ricco di significati e di allusioni simboliche e l'istituzione dell'Eucaristia è uno di questi. Il tema tradizionale dell'*Ultima Cena* era soggetto obbligato in quanto tema idoneo a essere raffigurato in un refettorio; ma Leonardo vi ha fatto confluire, oltre che i risultati di più di un decennio di studi e ricerche, altri richiami e riferimenti alla Passione di Cristo; l'offerta di se stesso in sacrificio, attraverso l'indicazione del pane e del vino, rimanda, per esempio, anche alla *Crocifissione* dipinta sulla parete opposta del refettorio dal Montorfano, e la posizione stessa di Cristo (immaginiamo anche di vedere i suoi piedi prima che fosse aperta la porta sottostante) contiene una diretta allusione alla Crocifissione, con le braccia aperte e i piedi, noti da un disegno a Windsor, lievemente sovrapposti. Al tempo stesso, il pane e il vino, cibi materiali per i confratelli delle Grazie seduti a mensa, divengono

*Leonardo, Cenacolo, particolare
della tavola apparecchiata
per l'Ultima Cena*

per loro nutrimento spirituale dopo che il ciclo della Passione è venuto a compimento. Così non possono a priori escludersi significati simbolici nelle ghirlande di frutta e foglie che sovrastano la scena e che riempiono quegli schermi gettati in alto fra la composizione dipinta e lo spazio reale del refettorio – le lunette –, anche per celare in maniera molto accorta il raccordo con l'architettura a volte, originariamente dipinta in azzurro a stelle d'oro, che certo doveva apparire in contrasto con quella illusoria dipinta a cassettonato.

Nella lunetta centrale, dove l'iscrizione allude a Ludovico e a Beatrice d'Este duchi di Milano[14], la ghirlanda racchiude uno stemma con campiture contrastanti, come a scacchiera. Sui campi scuri, realizzati in sottili lamine d'argento, sono dipinti in azzurro vivo, con gusto e sensibilità tipicamente leonardiana, i biscioni sforzeschi. Dorature dovevano completare questa e le altre lunette, nei nastri e negli stemmi, per accrescere la sensazione che si trattasse di insegne realmente appese alle pareti (sulla parete opposta gli elmi degli armigeri dipinti dal Montorfano sono a rilievo, a simulare armature metalliche). Anche le ghirlande, e quella centrale in particolare, presentano un senso mimetico vivissimo e certamente il loro impiego si ricollegava alla tradizione di adornare le facciate delle chiese e dei palazzi con vere ghirlande di foglie, come tuttora avviene per la Pasqua, per esempio sulla facciata di San Marco a Venezia. Nella stessa Milano era consuetudine adornare i palazzi con simili festoni: Barbara Fabjan ha richiamato l'attenzione sul fidanzamento di Gian Galeazzo Sforza con Isabella d'Aragona nel

Leonardo, Cenacolo, particolare
delle mani di Filippo

A fronte
Leonardo, Cenacolo, particolare
del volto di Cristo

1489: i muri del Castello vennero decorati con "festoni d'hedera e d'alloro facto all'antiqua" e lungo le strade si potevano ammirare "festoni di verdura, ornamento de zenevro, de lauro, et hedera" con le insegne ducali.

Il recente restauro ha pienamente posto in luce all'interno dello stemma a forma di scudo il primitivo tracciato del suo contorno, inizialmente previsto a guisa di bucranio, proprio come avviene in un disegno a Windsor, Royal Library, n. 12282 a-r, in uno studio per un emblema sforzesco contenuto nel Ms. H di Parigi e, finalmente, in un tondo collocato all'esterno dell'abside di Santa Maria delle Grazie, anch'esso raffigurante un "mottiuo ducale"[15].

Nella lunetta di sinistra l'epigrafe allude al primogenito Massimiliano Sforza, nelle sue dignità comitali di Angera e Pavia[16], mentre in quella di destra doveva essere celebrato come duca di Bari il secondogenito di Ludovico e Beatrice, Francesco II, nato nel 1495, il cui nome tuttavia non compare[17].

Il recente restauro sembra indicare come in diversi punti foglie e frutti siano stati ridipinti, come si può anche desumere da una suggestiva serie di riprese ai raggi ultravioletti e infrarossi. L'invenzione è certamente di Leonardo, come dimostrano soprattutto il disegno dei bellissimi nastri svolazzanti, alcune foglie lanceolate della lunetta sinistra, i già citati biscioni in azzurro e l'impianto generale. La pennellata, tuttavia, appare troppo turgida e materica e il colore, in più punti, sordo nonostante l'eccezionale stato di conservazione delle foglie e di diversi gruppi di frutti. Esami di laboratorio sembrerebbero però indicare un'identità di tecnica esecutiva con il sottostante *Cenacolo*, con la differenza che l'artista, o gli artisti, hanno dipinto (sembra con tempera e leganti oleosi) direttamente su uno strato di intonaco, privo però dello strato di bianco di piombo su cui, nella *Cena*, sono stati stesi i colori. L'eccezionale stato di conservazione è stato determinato dal fatto che soltanto nel 1854 le pitture delle lunette vennero messe in luce, togliendo quattro strati di scialbo. Secondo la Ottino Della Chiesa le lunette avrebbero subito, forse nel Settecento, una "rovinosa lavatura"[18] e si potrebbe perciò pensare che sia i ritocchi che le conseguenti scialbature siano avvenuti in età recente. Tuttavia, le decorazioni sembrano assai più antiche; in questo caso si potrebbe supporre che la loro scialbatura sia avvenuta subito dopo la caduta del Moro; cioè dopo il 1499, come per una sorta di "damnatio memoriae", per toglierne i nomi sforzeschi e, forse, per sostituirvi quelli del re di Francia. Si potrebbe inoltre ipotizzare che, tornato Leonardo a Milano nel 1506, egli, o qualcuno dei suoi allievi, abbia rimesso mano alle decorazioni vegetali (e certi gruppi di foglie sono in sintonia stilistica con la vegetazione che compare nella seconda versione della *Vergine delle Rocce*) ripristinandone le parti cadute o rovinate. Bisognerebbe poi supporre che le tre lunette fossero nuovamente ricoperte dallo scialbo, in quanto la prima menzione finora nota delle decorazioni esistenti risale soltanto a Giuseppe Mazza nel 1770[19].

Anche nella pittura settentrionale i motivi di festoni e ghirlande vantavano un'illustre tradizione: si pensi alle decorazioni del Mantegna nella Camera degli Sposi a Mantova, o ai dipinti di Carlo Crivelli, come la *Madonna della candeletta* della Pinacoteca di Brera, così che non ci stupisce la scelta di Leonardo di questo motivo decorativo. Del resto l'interesse vinciano per il mondo vegetale è attestato da numerosi quanto sensibili disegni di botanica in cui è dato di percepire la sua straordinaria sensibilità nella trasposizione del mondo vegetale. Anche le prime due lunette delle pareti lunghe del refettorio sembra siano state decorate da Leonardo. Sopravvive solo il disegno a pennello della prima sulla parete occidentale (la lunetta della parete orientale andò distrutta, con tutta la parete, nel bombardamento del 1943) che, dopo la recente pulitura, viene considerato autografo da Carlo Bertelli [20].

Si ha ragione di ritenere che Leonardo iniziasse a lavorare agli studi preparatori per il *Cenacolo* nella prima metà dell'ultimo decennio del Quattrocento. L'ampliamento e la decorazione del refettorio delle Grazie rientravano nel quadro di un più vasto programma celebrativo della dinastia sforzesca, e di Ludovico il Moro in particolare, di cui la nuova tribuna della chiesa, edificata su disegno di Bramante a partire dal 1492, costituiva l'episodio di maggior impegno e ri-

Leonardo, Cenacolo, particolare con la figura di Andrea

Leonardo, Cenacolo, particolare della figura di Giuda

sonanza. Al suo interno dovevano trovare posto le sepolture del Moro stesso e della moglie, opere di Cristoforo Solari ora conservate alla Certosa di Pavia. Il complesso monumentale si configurava dunque come una sorta di "mausoleo", cui si aggiungevano significati di ordine teologico e religioso, oltre che simbolico e celebrativo[21].

All'interno di questo programma globale, collegano l'intervento di Bramante e quello di Leonardo anche le assonanze fra gli ideali architettonici di cui si fa portatore Bramante e la nuova scala monumentale adottata da Leonardo per le figure della *Cena*, scala dimensionale che rimanda anch'essa a un ideale architettonico, se non bramantesco *tout court* (si confronti la già citata figura di Simone con quelle degli *Uomini d'arme* di Casa Panigarola, ora a Brera). Il motivo illusionistico dell'architettura dipinta da Leonardo nel *Cenacolo* si ricollega inoltre al finto coro bramantesco di San Satiro, benché l'intendimento scopertamente scenografico che contraddistingue quest'ultimo non costituisca, come detto, che un motivo in fin dei conti secondario nel dipinto vinciano. Nel 1495 Donato Montorfano aveva inoltre concluso sulla facciata opposta al *Cenacolo* la sua *Crocifissione*, benché questa sembri dovuta alla committenza dei frati domenicani di Santa Maria delle Grazie.

L'interessamento personale di Ludovico il Moro per la *Cena* di Leonardo è invece fatto esplicito da una sua missiva a Marchesino Stanga, in cui si invita a sollecitare l'artista "perché finisca l'opera del Refettorio delle Gratie principiata, per attendere poi ad altra fazada d'esso refitorio". La lettera, datata 29 giugno 1497[22], oltre che fornire materia per un'ipotesi che vorrebbe veder assegnata a Leonardo anche la decorazione della parete dove appena due anni prima il Montorfano aveva concluso la sua opera, fornisce un appiglio cronologico sicuro per la fase conclusiva del lavoro di Leonardo, certamente terminato nel successivo 1498, come informa Luca Pacioli nel famoso passo già citato della sua *De divina proportione*[23]. Ma l'elaborazione dei necessari studi preparatori (mancano tutti i disegni intermedi fra i primi studi, quelli del foglio di Windsor di cui si è già lungamente trattato, e i disegni delle teste degli apostoli che rispecchiano invece una fase ormai conclusiva degli studi) e, più ancora, la tecnica esecutiva scelta da Leonardo (non un "buon fresco" che avrebbe richiesto una stesura rapida e immediata, ma una tecnica che gli permettesse di aggiungere ritocchi e sfumature a distanza di tempo, come ricorda Matteo Bandello nella sua famosa novella)[24], obbligano a estendere a ritroso nel tempo di almeno quattro o cinque anni l'inizio del periodo necessario agli studi preparatori e di giungere, per l'avvio dell'esecuzione, almeno verso il 1494, se non prima ancora[25]. Le annotazioni scientifiche e di teoria della pittura sopra citate, contenute in manoscritti databili fra il 1490 e il 1494, sembrano confermare questa cronologia. Inoltre, non si valuta solitamente con la dovuta attenzione, proprio per la cronologia del *Cenacolo*, la testimonianza del Bandello che, parlando di come Leonardo si recasse spesso alle Grazie per dipingere la *Cena*, fa riferimento al monumento equestre a Francesco Sforza: "L'ho anco veduto secondo che il capriccio e ghiribizzo lo toccava, partirsi da mezzo giorno, quando il sole è in Lione, da Corte Vecchia ove quel stupendo cavallo di terra componeva, e venirsene dritto a le Grazie ed asceso sul ponte pigliar il pennello ed una o due pennellate dar a una di quelle figure, e di subito partirsi e andar altrove".

Sarebbe molto interessante riuscire a stabilire a quale fase del progetto per il monumento allo Sforza il Bandello alluda, in quanto sappiamo che Leonardo aveva ripreso gli studi per il cavallo nel 1490 (essendosi probabilmente dedicato al progetto fin dal 1482-1483), mentre il Codice 8937 della Biblioteca Nacional di Madrid, recentemente scoperto, testimonia degli studi finali per una seconda versione e della messa a punto di un modello di terra, e, infine, del relativo procedimento di fusione, nel 1493: "A dì 20 di dicembre 1493... conchiudo gittare il cavallo sanza coda e a diacere". Per poter "gettare" il cavallo è necessario pensare che il modello di terra fosse già ultimato da tempo, poiché, secondo il rivoluzionario metodo progettato da Leonardo, dal modello di terra doveva ricavarsi, a pezzi, il modello di cera[26]. Va sottolineato che, secondo le parole del Bandello, Leonardo lavorava contemporaneamente al modello di terra e al *Cenacolo*; dato che i lavori per il "gran cavallo" sembrano essersi interrotti dopo il 1494-1495 ("del cavallo non dirò niente perché cognosco i tempi")[27] e dato che le "una o due pennellate" di cui parla il Bandello non possono che riferirsi a uno stadio di elaborazione della *Cena* già in fase molto avanzata, c'è da supporre che il Bandello riferisca di un tempo più vicino al 1492-1493 che al 1494-1495 (l'accenno che il Bandello compie alla visita del cardinale di Gurk, avvenuta nel 1497, che precede la menzione del modello di terra del cavallo, non può valere, infatti, a datare il successivo resoconto sulle abitudini di Leonardo).

Solo dopo un ventennio dal suo compimento, il dipinto già iniziava a guastarsi: Antonio de Beatis, che visita la *Cena* nel 1517-1518, la trova "excellentissima, benché incomincia ad guastarse non so se per la humidità che il muro [trasuda] o per altra inadvertentia"[28] e, cinquant'anni dopo, la situazione deve essersi molto aggravata, tanto da far nascere l'equivoco che all'origine del dissesto vi fosse un'esecuzione imperfetta, cosa che l'aretino Vasari non manca malignamente di affer-

mare ("tanto male condotto che non si vede più se non una macchia abbagliata")[29]. Il Lomazzo cerca di rimediare e di giustificare il maestro ritenendo eseguito il dipinto a olio, su una "imprimitura" inadatta, mentre con l'Armenini (1587), che lo trova "mezzo guasto benché bellissimo", inizia ad apparire, in una sorta di prefigurazione di un motivo romantico, il gusto per il capolavoro in disfacimento. I giudizi successivi, da quello dello Scannelli (1642) fino ai resoconti del Lattuada (1738), del de Brosses (1738), del Bartoli (1776), di Domenico Pino (1796), si intrecciano con le critiche e le questioni metodologiche sollevate dai primi interventi di "restauro" che sono documentati (anche se non è impossibile che tracce di più antichi interventi possano essere ritrovate): quello di Michelangelo Bellotti del 1726 e quello di Giuseppe Mazza del 1770.

Il primo intervento fu alternativamente lodato e criticato (soprattutto dal Bianconi, 1787), in quanto il Bellotti eseguì numerosi rifacimenti a tempera o a guazzo riverniciando tutta la parete a olio (così almeno celando la pittura originale sotto ai suoi interventi che, comunque, sembrano aver risparmiato le figure di Giuda, Pietro, Giovanni e Cristo); il secondo si propose di togliere le ridipinture del Bellotti, che asportò con raschietto, reintegrando le lacune pittoriche con impasto a olio, specie su Bartolomeo e, in misura minore, su Giacomo e Andrea[30]. Dopo un accurato rilievo eseguito da Andrea Appiani nel 1802, che individuò nell'umidità del muro la causa della caduta della pittura, riconoscendo l'impossibilità di un distacco, si ebbe, nel 1821, il tentativo di S. Barezzi, limitato alla zona della tovaglia sotto la figura di Bartolomeo e di Cristo, proprio per verificare se il distacco fosse possibile consolidando con colletta e integrando con stucchi colorati a base di cera. Nel 1853-1855 lo stesso Barezzi intervenne su tutta la superficie operando un consolidamento e una pulitura (fu il Barezzi, come già detto, a togliere lo scialbo che occultava le decorazioni delle lunette). Pinin Brambilla Barcilon fornisce in una recente pubblicazione alcune straordinarie esemplificazioni fotografiche di questi antichi interventi: si vedono, del Bellotti, il rifacimento degli occhi di Taddeo e delle decorazioni della tovaglia; del Mazza il rifacimento degli occhi di Tommaso; del Barezzi le incisioni sulla tavola e l'appiattimento della superficie pittorica in corrispondenza delle zone dove aveva tentato di strappare la pittura, zone poi colmate con materia a base di cera[31].

I restauri di questo secolo, finalmente condotti anche sulla base di esami fisici sulle condizioni ambientali e i componenti chimici della pittura, consentirono di consolidare, per quanto possibile, la pittura e di precisare, col Cavenaghi, nel 1908, che il *Cenacolo* era stato condotto a tempera su due strati di preparazione. Col Silvestri, nel 1924, si operava una nuova pulitura e un nuovo consolidamento (con stuccatura dei margini della preparazione dipinta).

Dopo il bombardamento del 1943 e la conseguente ricostruzione della parete orientale del refettorio, sembrò che ogni precedente sforzo per la conservazione del dipinto si fosse reso vano. A causa della polvere e dell'umidità condensata, prodotta dalla ricostruzione della parete e dal rifacimento del pavimento, la pittura apparve alla Wittgens annerita e offuscata: "Anziché biancheggiante, essa appariva completamente nera... gonfia di umidità, la superficie del *Cenacolo* si presentava come un tessuto gommoso, e al più leggero tocco si rimuoveva non solo il colore, ma anche la sottostante imprimitura gessosa..."[32]. Ettore Modigliani, allora soprintendente, diede perciò incarico a Mauro Pelliccioli di procedere con un nuovo consolidamento della superficie pittorica che "doveva operarsi più radicalmente di quanto non fosse stato compiuto da quello precedente di Cavenaghi e Silvestri" e cui egli si applicò nel 1947 cercando di fissare le scaglie di colore all'intonaco stendendovi sopra a pennello gommalacca decerata diluita in alcool e iniettandovi dietro caseina. La gommalacca ridiede coesione, consistenza e vivacità al colore, così che si poté procedere alla successiva fase di recupero della pittura originaria di Leonardo, cosa cui il Pelliccioli attese nel 1951-1952 e nel 1954. Già la Wittgens sottolineava che egli si era esercitato soprattutto dove "i colori settecenteschi celavano lo splendente tesoro dell'autografa pittura di Leonardo". I cauti ed equilibrati interventi di pulitura del Pelliccioli, pur con recuperi straordinari di parti originali, come il punto Assisi sulla tovaglia e l'azzurro dell'abito di Giuda decorato con lettere cufiche in oro, non si spinsero così a rimuovere tutti i rifacimenti antichi. Pinin Brambilla osserva che "si nota infatti una maggior cura nell'asportazione delle ridipinture sugli incarnati, omettendo di rimuovere i rifacimenti degli occhi, il contorno dei visi e delle mani, delineato a tratti scuri e non insistendo nel rimuovere le stratificazioni depositate sulle abrasioni o sulla profondità delle lacune per mantenere la possibilità di una buona lettura dell'immagine"[33]. Su intere zone non furono asportate le ridipinture, come sui cassettonati del soffitto, sulle pareti con gli arazzi e nella parte inferiore sotto la tavola.

Il restauro ora giunto acompimento si è reso necessario per l'aggravarsi delle condizioni ambientali del refettorio e della parete durante gli anni sessanta e settanta che hanno visto, fra l'altro, depositarsi sul dipinto uno spesso strato di polvere e smog. Gli esami preliminari a una nuova pulitura sono iniziati nel 1976 sotto la direzione della Soprintendenza per i Beni Artistici e Storici di Milano allora diretta da Franco Russoli.

A lui sono succeduti Stella Matalon, Carlo Bertelli, Rosalba Tardito e Pietro Petraroia (con la mia collaborazione dal 1993), che si sono giovati dell'abilità di Pinin Brambilla Barcilon. Il progredire delle conoscenze scientifiche e tecniche ha consentito che venissero svolte, di concerto con l'Istituto Centrale del Restauro, quante più analisi e ricerche fossero possibili di carattere chimico, fisico, ambientale, statico e strutturale, climatico, oltre che una campagna di rilevamento fotografico capillare[34]. In parallelo è stata messa a punto e applicata una metodologia di restauro che si è proposta la restituzione di ciò che resta della pittura autografa di Leonardo, asportando le ridipinture, antiche e moderne, che l'hanno in buona parte occultata fino ai giorni nostri. Le ridipinture non sono però state rimosse ovunque: il cassettonato rimane un rifacimento settecentesco (benché si sia messa in luce una piccola porzione, a destra, di quello originale), così come gli arazzi, dove, tuttavia, a sinistra, sono stati ritrovati, sotto le pesanti ridipinture settecentesche, alcuni mazzetti di fiori che appartengono alla stesura originale; la testa di Giuda, infine, molto abrasa, è stata mantenuta nella sua ricostruzione settecentesca, benché alleggerita di strati di colore recenti e resa più vicina al profilo originario. E non è trattato, tuttavia, di un criterio di restauro puramente estetico: i rifacimenti pittorici, gli strati di sporcizia, le muffe, i materiali così diversi accumulatisi sopra la pittura per secoli hanno negativamente influito sulla complessa e già delicata situazione meccanica prodottasi, all'origine, dalla tecnica esecutiva scelta da Leonardo, determinando sollevamenti, cadute di scaglie di colore e di preparazione e differenziate reazioni all'umidità e al calore. Il coraggioso perseguimento di questa metodologia di restauro ha permesso il recupero di brani pittorici che, pur frammentari, consentono per la prima volta in assoluto di avvicinarsi alla pittura "originale" di Leonardo" (benché in condizioni di conservazione naturalmente frammentarie e molto compromesse dai ben nove restauri precedenti) e, in particolare, al suo colore[35]. La figura di Simone, all'estrema destra, risulta anche risarcita nel suo volume e nella sua monumentalità, bramantesca prima che michelangiolesca, oltre che nei toni cangianti del lilla e del bianco; Matteo, nel suo nobile profilo e nell'afflato di commozione che lo pervade, oltre che nell'azzurro intenso e squillante della sua tunica; Filippo nell'espressione dolorosa ma non patetica; Giacomo Maggiore nella profonda plasticità della veduta di tre quarti del volto e nel soffio di stupore bloccato che sembra uscire dalla sua bocca, con un'espressione assai meno "caricata" di quanto invece appare nel corrispondente disegno di Windsor.

Dopo esserci soffermati su questi brani di pittura – che, altissima nelle pur poche scaglie superstiti, è però dotata d'una sorprendente carica luminosa che sembra rigenerare anche le zone circostanti, dove appare soltanto la preparazione – e ritornati a osservare le parti di sinistra dove, analogamente, sono state risarcite le teste di Bartolomeo, di Andrea, di Pietro e di Giovanni (quasi tutte erano state ampliate e distorte dalle precedenti ridipinture), risulta evidente il minuziosissimo lavoro compiuto, che ha liberato la pittura rimasta imbrigliata, quasi affogata, sotto le ridipinture successive. Le pur belle teste di Bartolomeo e di Giacomo Minore, quasi profili di teste all'antica, hanno rivelato il loro disegno originario e parte della loro antica bellezza, a fare da contrappunto a quella di Matteo.

[1] Cfr. K. Clark, *The Drawings of Leonardo da Vinci in the Collection of Her Majesty the Queen at Windsor Castle*, second edition revised with the assistance of C. Pedretti, London 1968-1969, vol. I, pp. 99-100.

[2] Cfr. J. Wasserman, *Reflections on the Last Supper of Leonardo da Vinci*, in "Arte Lombarda", 66, n. 3, 1983, pp. 19-20, figg. 6-8.

[3] Fra gli altri studi preparatori vanno ricordati i fogli di Windsor, Royal Collection, nn. 12551 e 12552 (le teste di Filippo e Giacomo Maggiore), 12546 (il braccio destro di Pietro), 12543 (le mani di Giovanni) e 12635 r (i piedi di Cristo); sono stati sollevati dubbi sull'autografia dei fogli nn. 12547 (la testa di Giuda, che sembra però da considerarsi autentica), 12548 (la testa di Bartolomeo o meglio, secondo il Berenson, quella di Matteo; il disegno è quasi universalmente accolto come un originale; i dubbi sull'autografia sono avanzati recentemente da Carlo Pedretti), 12549 e 12550 (che sono infatti copie da un disegno di Leonardo per la testa di Simone), 12544 e 12545 (copie da disegni per le mani di Matteo e di Tommaso). Per tutti questi fogli cfr. K. Clark, *op.cit.*, pp. 100-102 e 133. Per altri studi a questi connessi si veda il recente catalogo di C. Pedretti, *Leonardo. Studi per il Cenacolo*, Milano 1983, *passim*. Fra i disegni preparatori per l'*Ultima Cena* non considero il foglio dell'Accademia di Venezia su cui grava il dubbio che possa trattarsi di un falso (cfr. A.M. Brizio, *Lo studio degli Apostoli nella Cena dell'Accademia di Venezia*, in "Raccolta Vinciana", XVIII, 1959, pp. 45 sgg., e XX, 1964, p. 414), anche se opinioni più recenti sembrano riabilitarlo (cfr. C. Pedretti, *Leonardo da Vinci inedito. Tre saggi*, Firenze 1968, pp. 59-60; Luisa Cogliati Arano aveva accolto nel suo catalogo di disegni di Venezia del 1966 il giudizio di falso, ma sembra ora incerta: cfr. L. Cogliati Arano, *I disegni di Leonardo e della sua cerchia alle Gallerie dell'Accademia*, Milano 1980, pp. 56-57). Il disegno è probabilmente stato iniziato da Leonardo, che vi ha apposto di suo pugno i nomi degli apostoli, ma è stato in gran parte rifatto e ripassato da un artista milanese assai meno abile del maestro. A questo proposito richiamo l'attenzione sul celebre disegno della *Testa di Cristo* della Pinacoteca di Brera, per cui è stata recentemente riproposta l'ipotesi che si tratti, anche in questo caso, di un disegno originario di Leonardo poi alterato da una o più mani (cfr. P.C. Marani, in *Disegni lombardi del Cinque e Seicento della Pinacoteca di Brera e dell'Arcivescovado*, Firenze 1986, pp. 27-31).

[4] Cfr. P.C. Marani, *Leonardo dalla scienza all'arte. Un cambiamento di stile, gli antefatti, una cronologia*, in *Fra Rinascimento, manierismo e realtà. Scritti di storia dell'arte in memoria di Anna Maria Brizio*, Firenze 1984, p. 44.

[5] Riportati da A.M. Brizio, *Scritti scelti di Leonardo da Vinci*, Torino 1952 (ediz. 1966, pp. 252-254).

[6] Cfr. J.P. Richter, *The Literary Works of Leonardo da Vinci*, Oxford 1883 (ediz. 1970, paragrafi 665 e 666).

[7] La teoria che il punto di stazione scelto da Leonardo per la costruzione prospettica della *Cena* coincida con quello reale dello spettatore è stata abbandonata dopo la scoperta che, in realtà, il punto di vista prospettico è situato a quattro metri circa di altezza dal piano originario del pavimento della stanza. Per gli studi più recenti sulla prospettiva del *Cenacolo* si veda la nota bibliografica aggiunta alla ristampa del saggio di A.M. Brizio. *Leonardo da Vinci. Il Cenacolo*, Firenze 1983.

[8] M. Kemp, *Leonardo da Vinci. The Marvellous Works of Nature and Man*, London 1981, pp. 261-329 (ediz. it. Milano 1982).

[9] Vi accenna Carlo Bertelli nei primi resoconti sul restauro in corso, cfr. nota 35.

[10] Sul recupero da parte di Leonardo dell'ottica medioevale si veda il fondamentale saggio di A.M.Brizio, *Razzi incidenti e razzi refressi*, Firenze 1963 (III Lettura vinciana).

[11] C. Bertelli, in L.H. Heydenreich, *Invito a Leonardo. L'Ultima Cena*, Milano 1982, p. 8. La tesi secondo cui Leonardo avrebbe raffigurato l'istituzione dell'Eucaristia risale al von Einem ed è stata più recentemente riproposta da L. Steinberg. Contraria, fra gli altri, anche A. Ottino Della Chiesa (*L'opera completa di Leonardo pittore*, Milano 1967, p. 8) che richiama giustamente l'attenzione sul passo del Pacioli nella sua *De divina proportione*: "Non è possibile con maggiore attenzione vivi gli Apostoli imaginare al

suono della voce de l'ineffabile verità e quando disse: 'Unus vestrum me traditurus est'. Dove con acti e gesti l'uno e l'altro e l'altro l'uno con viva e afflicta admiratione par che parlino sì degnamente con sua ligiadra mano el nostro Lionardo lo dispose" (1498). A questa vanno aggiunte le incisioni attribuite a Zoan Andrea o al Maestro del Libro d'Ore sforzesco, le più antiche, dove in un cartellino compaiono le parole con le quali Cristo annuncia il tradimento (un'incisione è riprodotta, per esempio, da L.H. Heydenreich, *op. cit.*, p. 103; altre in C. Alberici e M. Chirico De Biasi, *Leonardo e l'incisione*, Milano 1984, pp. 59-61).

[12] L.H. Heydenreich, *op. cit.*, pp. 41-48.

[13] A.M. Brizio, *Il Cenacolo*, in *Leonardo. La pittura*, Firenze 1977, pp. 106-107.

[14] L'iscrizione "LV [dovicus] MA [ria] BE [atrix] EST [ensis] SF [ortia] AN [glus] DVX [Mediolani]" campeggia ora in bianco ai lati dello stemma e della ghirlanda, sul fondo rosso della preparazione.

[15] Cfr. C. Pedretti, *op. cit.*, pp. 86-91.

[16] "MA [ria] M [a] X [imilianus] SF [ortia] AN [glus] CO [mes] P [a] P [iae]."

[17] "SF [ortia] AN [glus] DVX BARI." Francesco II ebbe il titolo di duca di Bari nel 1497. Questa data viene generalmente assunta come termine *ante quem* per la datazione delle lunette, che vengono perciò tradizionalmente ritenute eseguite fra il 1495 (nascita del secondogenito) e il 1497 (conferimento del titolo di duca di Bari). Questa datazione avanzata per le lunette non contrasta però con quanto viene esposto più avanti circa una possibilità di un'anticipazione della datazione degli inizi del *Cenacolo*.

[18] A. Ottino Della Chiesa, *op. cit.*, p. 99.

[19] Cfr. B. Fabjan, *Il Cenacolo nuovamente restaurato*, in *Leonardo. La pittura*, Firenze 1985, p. 93, nota 1.

[20] C. Bertelli, *op. cit.* pp. 12 e 145 (tavola).

[21] Si veda il saggio di S. Lang, *Leonardo's Architectural Designs and the Sforza Mausoleum*, in "Journal of the Warburg and Courtauld Institutes", vol. XXXI,

1968, pp. 218-233. Si veda inoltre M. Rossi, *Novità per Santa Maria della Grazie di Milano*, in "Arte Lombarda", 66, 1983, pp. 35-70, e, per altre connessioni, P.C. Marani, *Leonardo e le colonne "ad tronchonos". Tracce di un programma iconologico per Ludovico il Moro*, in "Raccolta Vinciana", XXI, 1982, pp. 103-120.

[22] La lettera è riportata interamente da quasi tutta la letteratura esistente sul *Cenacolo*; si veda in L. Beltrami, *Documenti e memorie riguardanti la vita e le opere di Leonardo da Vinci*, Milano 1919, pp. 48-49.

[23] Cfr. nota 11.

[24] M. Bandello, *Le novelle*, Bari 1910, vol. II, p. 283.

[25] Il passo vinciano del Ms. H di Parigi, foglio 64, datato 29 gennaio 1494, portato recentemente anche da L.H. Heydenreich, *op. cit.*, p. 32, n. 3, a sostegno di una proposta di datazione della commissione del *Cenacolo* al 1494, non è tuttavia probante. "Il pian delle mura", "la sala" e "la ghirlanda" di cui parla Leonardo sono infatti da riferirsi non al *Cenacolo* ma al Castello di Milano, come recentemente corretto da C. Pedretti, *op. cit.* p. 70, e, indipendentemente, da P.C. Marani, *L'architettura fortificata negli studi di Leonardo da Vinci, con il catalogo completo dei disegni*, Firenze 1984, pp. 139-140.

[26] Sul "cavallo Sforza" cfr. M.V. Brugnoli, *Il monumento Sforza*, in *Leonardo*, a cura di L. Reti, Milano 1974, pp. 86-109.

[27] L'accenno si trova in un abbozzo di lettera al Moro in cui si fa anche riferimento alla commissione "del dipingere i camerini" nel Castello e che la Brizio colloca prima di un testo del Ms. H di Parigi, datato 1494. Cfr. A.M. Brizio, *op. cit.*, 1952 (ediz. 1966, pp. 639-640).

[28] L. Pastor, *Die Reise des Cardinals Luigi D'Aragano*, Freiburg 1905.

[29] G. Vasari, *Le vite de' più eccellenti pittori, scultori e architetti*, Firenze 1568.

[30] Per queste e le successive notizie cfr.

B. Fabjan, *op. cit.*, p. 93 sgg., nota 1.

[31] P. Brambilla Barcilon, *Il Cenacolo di Leonardo in Santa Maria delle Grazie. Storia, condizioni, problemi*, Milano 1985, figg. 1, 15-19.

[32] F. Wittgens, *Restauro del Cenacolo*, in *Leonardo. Saggi e ricerche*, a cura del Comitato nazionale per le onoranze a Leonardo da Vinci nel quinto centenario della nascita, Roma 1954, pp. 3-4.

[33] P. Brambilla Barcilon, *op. cit.*, p. 66.

[34] Si vedano per esempio la relazione dell'Istituto Centrale del Restauro di Roma in data 20 settembre 1977; la relazione di H. Travers Newton del 10 settembre 1977; i rilievi termoigrometrici del Centro "Gino Bozza" di Milano del settembre 1979; gli accertamenti dello stato di inquinamento dell'aria nella sala del *Cenacolo*, eseguiti dalla Stazione sperimentale per i combustibili di Milano il 18 ottobre 1979 ecc., tutti in Soprintendenza per i Beni Artistici e Storici di Milano, Archivio corrente, 13/31. Si vedano inoltre M. Matteini e A. Moles, *A Preliminary Investigation of the Unusual Technique of Leonardo's Mural "The Last Supper"*, in "Studies in Conservation", 24, 1979, pp. 125-133, e le analisi pubblicate in "Arte Lombarda", 62, 1982. Cfr. anche H. Travers Newton, *Leonardo da Vinci as Mural Painter: Some Observations on His Materials and Working Methods*, in "Arte Lombarda", 66, 1983, pp. 71-88.

[35] Si vedano i resoconti delle prime sensazionali scoperte: C. Bertelli e B. Fabjan, *Il Cenacolo di Leonardo*, in "Brera. Notizie della Pinacoteca", autunno/inverno 1981-1982, pp. 1-4; Id., *op. cit.*, pp. 127-156; Id., *Il Cenacolo vinciano*, in AA.VV., *Santa Maria delle Grazie*, Milano 1983, pp. 188-195; D.A. Brown, *Leonardo's Last Supper: The Restoration*, Washington, D.C., 1983; B. Fabjan, *op. cit.*, pp. 90-94. Si veda anche C. Bertelli, *Verso il vero Leonardo*, in *Leonardo e Milano*, a cura di G.A. Dell'Acqua, Milano 1982, pp. 83-88.

Nota bibliografica

Del restauro attuale hanno via via già dato conto, man mano che il lavoro procedeva dall'alto in basso e da destra verso sinistra, P. Brambilla Barcilon, *Il Cenacolo di Leonardo...*cit. , 1984; B. Fabjan, in *Leonardo. La pittura*, Firenze 1985, pp. 90-94; C. Bertelli, *Leonardo e l'Ultima Cena* (ca 1495-97), in *Tecnica e stile: esempi di pittura murale del Rinascimento italiano*, a cura di E. Borsook e F. Superbi Gioffredi, The Harvard University Center for Italian Renaissance Studies at Villa I Tatti, Firenze 1986, pp. 31-42; P.C. Marani, *Leonardo's Last Supper: Some Problems of Restoration and new Light on Leonardo's Art*, in *Nine Lectures on Leonardo da Vinci*, a cura di A. Bednarek e F. Ames Lewis, University of London, London 1990, pp. 45-52; Id., *Le alterazioni dell'immagine dell'Ultima Cena di Leonardo dopo le più recenti analisi*, in "Kermès. Arte e tecnica del restauro", III, n. 7, 1990, pp. 64-67; R. Tardito, *Il Cenacolo di Leonardo e il suo recente restauro*, in "Raccolta Vinciana", XXIII, 1989, pp. 3-16; P. Brambilla Barcilon e P.C. Marani, *Le lunette di Leonardo nel Refettorio delle Grazie*, in "Quaderni del restauro", 7, 1990.
Una prima campagna fotografica relativa alla parte destra della composizione dopo il suo restauro (fino alla figura di Cristo compresa) è pubblicata in P.C. Marani, *Leonardo*, Milano 1994

(altre edizioni: Madrid 1995; Paris 1996). Le analisi compiute durante il recente restauro consentono di stabilire anche la tecnica adottata da Leonardo: una pittura a tempera (forse mischiata a olio) data su due strati di preparazione, la prima, più grossolana, di carbonato di calcio, la seconda, più fine, per farvi aderire la pittura, a base di bianco di piombo. Si veda H. Kühn, *Bericht über die Naturwissenschaftlichen Untersuchungen der Malerei des Mailänder Abendmahls*, in "Maltechnik", IV, 1985, pp. 24-51. Le più importanti analisi effettuate sul dipinto murale, gli esami fisico-chimici e le precauzioni poste in opera per la sua conservazione sono raccolte nel volume in corso di stampa a cura di G. Basile e M. Marabelli, *Il Cenacolo di Leonardo. Analisi e ricerche*, Milano 1999. La relazione finale di restauro e le nuove acquisizioni ad esso seguenti sono invece contenute in P.C. Marani e P. Brambilla Barcilon, *Leonardo. L'Ultima Cena*, Milano 1999.
Il restauro che si è ora concluso, iniziato con saggi di pulitura nel 1977, non ha mancato di suscitare commenti e anche qualche dissenso. I più seri vengono da M. Kemp, *Looking at Leonardo's Last Supper*, in *Appearance, Opinion, Change: Evaluating the Look of Paintings*, United Kingdom Institute for Conservation, London 1990, e Id., *Authentically Dirty Pictures*, in "Times

Litterary Supplement", 17 maggio 1991, cui ha risposto P.C. Marani, *Lettera a Martin Kemp (sul restauro del Cenacolo)*, in "Raccolta Vinciana", XXV, 1993, pp. 463-467. A questo scritto ha replicato lo stesso M. Kemp, *Letter to Pietro Marani (on the restoration of the Last Supper)*, in "Raccolta Vinciana", XXVI, 1995, pp. 359-366. Vedi anche J. Franck, *The Last Supper, 1497-1997: The Moment of Truth*, in "Achademia Leonardi Vinci. Journal of Leonardo Studies and Bibliography of Vinciana", vol. X, 1997, pp. 165-182.

P.C.M.

La parete meridionale

Giovanni Donato Montorfano
Crocifissione
1495

Sulla parete opposta rispetto al *Cenacolo*
di Leonardo si distende la vasta composizione
affrescata da Donato Montorfano, sviluppata
fino a comprendere anche gli spazi delle lunette.
La presenza di una *Crocifissione* e di un'*Ultima
Cena* sui due lati minori dei refettori conventuali
risponde a una tradizione diffusa, e i due grandi
dipinti murali sono stati eseguiti quasi
contemporaneamente: d'altra parte, l'importanza
del capolavoro di Leonardo tende a far
"dimenticare" questa meno avanzata ma
comunque interessante *Crocifissione*. La scena,
ricca di personaggi e di dettagli descrittivi,
è in condizioni di leggibilità molto migliori
rispetto al dipinto leonardesco: a differenza
di Leonardo, Montorfano ha infatti utilizzato
la tecnica tradizionale dell'affresco, più resistente
e duratura. Il confronto è reso ancor più evidente
dalla ormai quasi del tutto evanescente presenza
dei ritratti della famiglia di Ludovico il Moro,
aggiunti a secco alle estremità del dipinto, accanto
ai gruppi di santi domenicani.
La data 1495 e la firma del Montorfano
sono ben riconoscibili su una lapide ai piedi
della Maddalena, sotto la Croce: si tratta dell'unica
opera firmata e datata dell'artista, ormai al termine
della sua carriera. La composizione è legata
alla tradizione lombarda, con le figure disposte
a gruppi intorno alle tre altissime croci:
in particolare, si nota sulla sinistra il compatto
blocco formato dalle donne che sorreggono Maria,
un tema molto caro alla pittura e alla scultura
lombarda del Quattrocento, che compare anche
nella *Crocifissione* di Bramantino nella Pinacoteca
di Brera. Sullo sfondo, in un paesaggio roccioso
che segnala influssi padovani, emerge la città
di Gerusalemme, cinta dalle mura. Gli edifici
mostrano caratteristiche architettoniche
"moderne", quasi un omaggio allo stile
di Bramante, con il quale Donato Montorfano
è direttamente in contatto.

La chiesa e il convento di Santa Maria delle Grazie dalla fondazione all'intervento bramantesco

Roberto Cecchi

La nascita del convento domenicano

La posa della prima pietra del complesso conventuale delle Grazie risale al 10 settembre 1463. Quest'importante iniziativa si colloca in un momento molto particolare per la vita dell'ordine dei frati predicatori, i domenicani, che proprio in quegli anni erano impegnati in un considerevole sforzo di rifondazione, dopo aver vissuto un lungo periodo di incertezza istituzionale e di appannamento spirituale.

Certamente, il preoccupante declino era stato determinato da fattori di ordine interno, a cui si erano sommate condizioni esterne particolarmente gravi, quale la peste degli anni 1348-1350, che aveva prodotto una consistente diminuzione del numero dei religiosi. Questi, poi, erano stati frettolosamente rimpiazzati da forze nuove, forse non completamente in sintonia con la più genuina tradizione dell'ordine[1]. Si noti, per inciso, che proprio i domenicani delle Grazie, durante la peste del 1485, usarono il convento di Santa Maria a Landriano come distaccamento per alcuni padri che, così, avrebbero potuto sottrarsi più facilmente al contagio[2].

L'ordine dei padri domenicani aveva conosciuto una felice stagione di grande espansione fin dalle sue più lontane origini. Costituitosi ufficialmente il 22 dicembre 1216 (Onorio III ne approvò la regola), nel 1277 contava già 404 case (conventi), che nel 1303 ammontavano a 582 e nel 1358 addirittura a 642. Anche le regole, cui i religiosi avrebbero dovuto fare riferimento, erano state adeguatamente strutturate con le Costituzioni dettate in occasione del capitolo generale del 1228. Già in questa prima fase, infatti, vennero stabiliti i requisiti fondamentali a cui avrebbero dovuto rispondere gli edifici conventuali: "I nostri frati abbiano abitazioni piccole e umili in modo che gli ambienti ad un piano non superino l'altezza di XII piedi [da m 4,20 a 4,56 a seconda delle regioni], gli ambienti a due piani XX piedi [da m 7 a 7,60], la chiesa XXX [da m 10,50 a 11,40]"[3].

Disposizioni analoghe si ritrovano nelle Costituzioni dell'ordine elaborate successivamente, a partire da quelle del 1240. Anzi, si può osservare un irrigidimento delle regole che stabiliscono drastici criteri di semplicità, soprattutto in

49

51

Alle pagine precedenti
*Veduta esterna di Santa Maria
delle Grazie con il refettorio*

termini di arredo e decorazione delle chiese: "Notabiles superfluitates a choris nostris amoveantur et amodo in nostro ordine numquam fiat"[4]. E sarà cura dell'*Officio praefecti operum*, l'ufficio della direzione dei lavori, far rispettare le disposizioni impartite, come tiene a precisare Umberto di Romans, maestro generale dell'ordine dal 1254 al 1263, nella sua *Opera de vita regulari*. I lavori dovranno ispirarsi al rispetto della regola indipendentemente dal risultato estetico, ma conformemente allo spirito di umiltà e di saldezza: "Debet attendere diligenter ne fiat aliquod quod superfluitatem aut superbiam praetendat; et ad hoc operam dare quod fiat opera durabilia et humilia, et quod paupertati et religioni consona videantur"[5].

Tuttavia, sarebbe arduo pretendere di ritrovare una reale corrispondenza tra le regole scritte e le realizzazioni intraprese dall'ordine. Le eccezioni e le deroghe appaiono così normali da divenire esse stesse una prassi consolidata. D'altra parte eccezioni e deroghe per ragioni tecniche e proporzionali sono ammesse dalle stesse Costituzioni elaborate successivamente a quelle del 1228.

Questo contesto apparentemente contraddittorio, dal quale comunque prendono corpo rilevanti iniziative edificatorie, trova le sue ragioni nella stessa attività apostolica intrapresa dai padri predicatori.

La scelta di costruire le proprie sedi ai margini dei centri abitati, il sistema di finanziamento dei lavori basato su lasciti, elemosine e donazioni che protrae per decenni la costruzione dei conventi (è stata calcolata una media di oltre cento anni per la realizzazione di ciascun insediamento), espongono i domenicani a condizioni di mutua dipendenza dal contesto sociale in cui operano[6].

Sul finire del secolo XIV prende corpo la riforma voluta dal maestro generale Raimondo delle Vigne (detto da Capua), che impone l'assoluto rispetto della regola primitiva, il ritorno cioè al rigore delle origini, quale garanzia della perduta capacità propositiva, col preciso impegno e una rinnovata volontà di incidere sulla vita della comunità cittadina. L'iniziativa parte proprio dalle due province lombarde.

La nascita del convento delle Grazie si colloca pienamente in questo spirito di rifondazione e, come vedremo, sarà estremamente arduo conciliare le Costituzioni dell'ordine con le esigenze dei benefattori. Anzi, saranno di nuovo questi ultimi a prevalere.

La volontà di costruire il nuovo convento risale al 1459. A quell'epoca, una deputazione di cittadini inoltra una richiesta in tal senso al vicario della congregazione di Sant'Apollinare di Pavia e ottiene una prima sede provvisoria in Milano nel piccolo monastero di San Vittore all'Olmo (detto di San Vittorello), nei pressi della Porta Vercellina, vicino all'antica basilica di San Vittore al Corpo. È il secondo insediamento domenicano in area milanese, che ripropone una situazione analoga a quella verificatasi a Firenze con Santa Maria Novella e San Marco, e a quella di Bologna.

L'altra sede in Milano è quella di Sant'Eustorgio, la cui fondazione risale al lontano 1227. Ma va ricordato che questo primitivo insediamento, per una singolare delimitazione geografica, dipende dalla provincia piemontese; si comprende così la ragione della richiesta inoltrata alla congregazione di Pavia invece che a quella di Sant'Eustorgio come sarebbe stato logico aspettarsi[7].

Nel 1460 i domenicani ricevettero in dono un appezzamento di terra situato ancora nella zona della Porta Vercellina, sul quale, inoltre, esistevano due modeste costruzioni. La prima era un edificio con cortile chiuso da quattro corpi di fabbrica "in forma di ale o portici sostenuti da colonne in legno, con camare ed altre officine annesse"[8], originaria sede del comando e dell'infermeria delle truppe del conte Gaspare Vimercati (comandante generale delle truppe sforzesche e donatore dell'area), acquartierate nel campo iemale. Questa primitiva costruzione fu sicuramente adattata alle esigenze dei padri, ma si può ritenere che sostanzialmente coincidesse con il cosiddetto "chiostro dell'Infermeria" demolito nel 1897 e localizzato nella parte nordoccidentale del convento domenicano. L'altra preesistenza era rappresentata dalla cappella della Beata Vergine delle Grazie. All'interno di questo piccolo edificio, il conte aveva fatto collocare un'immagine della Madonna e, come vedremo più avanti, la costruzione del complesso prenderà le mosse proprio da questo primitivo insediamento. Anche la dedicazione del convento, inizialmente intitolato a san Domenico nel rispetto della tradizione dell'ordine, viene mutata in omaggio al significato simbolico espresso da questa piccola cappella, come verrà sancito dal capitolo generale dell'ordine tenutosi a Ferrara il 10 maggio 1465.

A un anno dalla posa della prima pietra della chiesa, avvenuta alla presenza dell'arcivescovo Nardini il 28 agosto 1464 si dà inizio alla costruzione del dormitorio[9]. Evidentemente la modesta disponibilità dei locali preesistenti (quelli del chiostro dell'Infermeria?) non è più sufficiente a ospitare i padri impegnati nel lavoro.

Le opere procedono con una certa speditezza; la parte conventuale viene completata nel 1469 ("pro maxima parte erectus"), in tempi davvero brevi rispetto a quelli occorsi per la realizzazione di altri insediamenti che, come si è detto, si sono protratti anche per oltre un secolo. Si può ragionevolmente supporre che questa favorevole condizione sia dovuta al mecenatismo del conte, che appare sempre più l'artefice delle fortune costruttive del complesso conventuale. Tut-

Alle pagine seguenti
Veduta delle navate della chiesa

53

tavia il cronista ci informa che non tutto andò sempre per il meglio. Come forse era prevedibile, tra il Vimercati e i padri vi fu una totale divergenza di opinioni ("grave altercatione") sulle scelte costruttive da adottare. Il primo premeva per soluzioni di prestigio, mentre i secondi pretendevano che si costruisse nel rispetto del rigore originario, fra l'altro più conveniente per dei riformati.

La spunterà il Vimercati. Tuttavia va notato che il progetto fu affidato a Guiniforte Solari, architetto di gran fama, profondamente legato ai modelli compositivi lombardi e sicuramente orientato verso un cosciente recupero di un linguaggio della tradizione costruttiva romanica, con pochissime concessioni alle novità introdotte dagli architetti toscani, ormai operanti da diversi anni a Milano[10].

I tre chiostri e il refettorio

L'attuale corso Magenta, su cui si affaccia il fianco meridionale della chiesa delle Grazie, segue l'analogo tracciato preesistente alla costruzione del complesso conventuale[11]; dunque, insieme al chiostro dell'Infermeria e alla cappella della Madonna, la strada rappresenta una delle preesistenze vincolanti all'impostazione progettuale del complesso.

In origine, oltre al chiostro di cui si è detto, ne esistevano altri due: il chiostro Grande e il chiostro dei Morti. Intorno a questi ambienti dovevano svolgersi tutte quelle attività necessarie alla vita del convento. Oggi non si è in grado di ritrovare l'esatta dislocazione di tutte quelle funzioni previste da Umberto di Romans nel suo *Opera de vita regulari*. Ciò è dovuto soprattutto ai numerosi rimaneggiamenti subiti, ai danni prodotti dall'ultima guerra e al fatto che il complesso ha perduto col tempo, inevitabilmente, la sua originaria peculiarità di struttura autosufficiente. Sappiamo per certo che qualsiasi convento poteva essere considerato alla stregua di una cittadella, diligentemente organizzata in tutti i servizi necessari alla comunità e, solitamente, a ciascuna funzione doveva corrispondere un'altrettanto precisa dislocazione all'interno della struttura.

Per le sole esigenze pratiche furono individuate almeno quindici funzioni, che vanno dall'approvvigionamento del vitto alla sartoria, dal funzionamento dell'infermeria alla cucina, dalla lavorazione del cuoio alla coltivazione dell'orto. Inoltre, e lo abbiamo già detto, era prevista l'esistenza dell'*Officio praefecti operum*, al quale era demandata tutta l'organizzazione dei cantieri e la manutenzione delle parti costruite[12].

Abbiamo visto che del chiostro dell'Infermeria non rimane assolutamente niente, poiché fu demolito alla fine dell'Ottocento. Tuttavia, in base alle planimetrie rimaste, risulta essere il chiostro più eterogeneo per quanto attiene all'arti-

Donato Montorfano (attr.),
decorazione della parete sinistra
del refettorio

colazione degli spazi. Anche del chiostro Grande è rimasto
ben poco: se ne conserva il tracciato originale, ma le strutture in elevazione sono state prima mal restaurate nell'Ottocento e poi irrimediabilmente danneggiate con l'ultima
guerra. Dell'antica costruzione rimane soltanto, parzialmente, il piano terreno dell'ala occidentale: l'ampia copertura
voltata dà la dimensione dell'importanza della costruzione
primitiva.

Il cosiddetto chiostro dei Morti era integralmente conservato fino all'ultima guerra, quando subì danni irreparabili e
un'improbabile, successiva ricostruzione. Tuttavia della situazione originaria è rimasta una discreta documentazione
grafica e fotografica, soprattutto nella pubblicazione più volte citata di Agnoldomenico Pica e Piero Portaluppi che, non
foss'altro per questo, diventa un documento di eccezionale
rilevanza.

Il chiostro è scandito da colonne in serizzo su cui, originariamente, s'impostavano delle volte a crociera. Particolare
degno di nota sono le colonne binate angolari che mostrano
una pianta "a cuore" di inconsapevole derivazione romana,
riproposte successivamente a Ferrara da Biagio Rossetti per
il palazzo di Ludovico il Moro[13].

Il chiostro è perfettamente quadrato e tuttavia presenta
un'anomalia costruttiva piuttosto singolare: il numero degli
intercolumni è diverso sui tre lati. In particolare i loggiati a
nord e ovest hanno sei intercolumni, quello a est ne ha otto

e quello a sud cinque. Solitamente, per spiegare la ragione di questa singolarità costruttiva si fa riferimento a tre ipotesi: in primo luogo alle interruzioni subite durante la costruzione; in secondo luogo alla necessità di dare la maggiore illuminazione possibile alle cappelle della navata di sinistra della chiesa e ai locali che si affacciano sulla parte del chiostro esposta a nord; come ultima ipotesi s'invoca la totale libertà della prassi costruttiva attribuita all'arte gotica, svincolata dal rispetto di schemi costruttivi precostituiti, diversamente da quello che sarà il criterio progettuale dell'arte rinascimentale[14].

Al di là di questo fatto, sotto il profilo distributivo, intorno al chiostro dei Morti si articolano le funzioni più significative di tutto il complesso. Nella terminazione meridionale della manica orientale si trova la cappella della Vergine delle Grazie (parte dell'attuale cappella del Rosario). Esistono fondati motivi e una concordanza univoca di giudizio degli studiosi nel dar credito alla tradizione secondo cui sarebbe da attribuire a questo primitivo nucleo la funzione di "indirizzo" per tutta l'articolazione del complesso conventuale[15]. In sostanza la piccola cappella non avrebbe avuto soltanto la funzione di testimonianza, ma avrebbe anche dato l'avvio all'impianto strutturale della fabbrica: le murature sarebbero state proseguite utilizzando il lato maggiore del rettangolo di base della cappella, che assumerebbe così la prestigiosa funzione di "modulo".

Di questa situazione, oltre alla tradizione che ne attesta l'esistenza, rimarrebbe memoria in un rilievo della prima metà del XVII secolo, nel quale la parte originaria sarebbe distinta dalla parte seicentesca da una "ferrata"[16].

Proseguendo verso nord si incontrano altri due locali, il Capitolo e il Locutorio, mentre al piano superiore di quest'ala esistevano prima delle distruzioni belliche due serie di celle dei frati[17]. Il lato settentrionale, oggi completamente ricostruito, ospitava al piano terra altre celle, mentre al piano superiore si trovava la biblioteca di cui rimangono, oltre ai grafici, alcune immagini fotografiche estremamente significative che danno la dimensione del valore delle soluzioni architettoniche del tardo "gotico" lombardo. Tuttavia, pur riconoscendo a questa struttura un sapore locale, se ne sottolinea la derivazione toscana. In particolare si è soliti far riferimento alla soluzione tuttora esistente, adottata per la biblioteca domenicana della chiesa di San Marco a Firenze. Più precisamente, il Malaguzzi Valeri[18] ritiene che la biblioteca delle Grazie sia di esecuzione solariana, ma direttamente ispirata al lavoro di Michelozzo. A conferma di ciò il Gattico ci informa che il conte Vimercati, durante il soggiorno a Firenze, avrebbe voluto visitare quella parte della fabbrica di San Marco finanziata da Cosimo de' Medici e progettata, appunto, da Michelozzo[19]. L'ala occidentale del chiostro dei Morti è completamente occupata dal celebre refettorio, la cui notorietà è legata alla presenza dell'*Ultima Cena* di Leonardo da Vinci, dipinta sulla parete settentrionale. Si tratta di un vano rettangolare che pare ispirato a un qualche criterio di proporzionalità, poiché le dimensioni della lunghezza e della larghezza sono riconducibili a un rapporto di circa 1:4. Il refettorio, oggi, ripropone un'immagine che è la copia della situazione originaria, poiché i numerosi rimaneggiamenti subiti hanno sostituito gran parte delle murature originali. In particolare, con l'ultima guerra, sono andate distrutte la volta e la parete orientale, e sia il *Cenacolo* che l'affresco, del Montorfano hanno subito gravi danni.

È stato osservato che l'ambiente del refettorio, così come la manica impostata sulla cappella del Rosario, mal s'innestano con lo spazio occupato dalla chiesa[20]; in sostanza i volumi non "collimano" tra loro come invece vorrebbe una corretta tradizione costruttiva. Per questo motivo si è ipotizzato che, nel progetto originario, la chiesa prevedesse una campata in più, fino ad allinearsi con la muratura occidentale del refettorio[21].

Sotto il profilo distributivo l'accesso a questo vano doveva avvenire attraverso due diverse aperture principali, sistemate entrambe sulla parete orientale; la prima al centro, la seconda spostata verso nord. Esisteva poi una terza apertura, che tuttora si trova al centro della parete settentrionale, sotto il dipinto di Leonardo. Originariamente era di dimensioni piuttosto ridotte e per questo fu ampliata nel 1652 con uno sconsiderato intervento che costò i piedi del Cristo. Questo accesso metteva in collegamento con i locali della cucina ed è stato tamponato in tempi relativamente recenti[22].

L'illuminazione del refettorio è questione ancora dibattuta, anche se non nelle linee generali, sicuramente in quelle particolari[23]. Non conosciamo la configurazione originaria di questo ambiente. Sicuramente non doveva essere così come oggi ci appare. Ancora una volta la diatriba tra il Vimercati e i padri deve aver imposto varianti sostanziali in corso d'opera. La scelta della "volta a botte unghiata", raccordata nelle testate con "volte a ombrello", risponde a criteri più ambiziosi sicuramente intervenuti in un momento successivo.

Di quest'ipotesi esisterebbe una conferma in un rilievo eseguito da Gino Chierici e in un documento che attesta il pagamento di lavori di consolidamento intrapresi dopo che il vano era stato completamente edificato. In particolare, nel disegno si osservano delle aperture richiuse, sistemate molto più in basso rispetto a quelle esistenti sulla parete occidentale. Anche lo spessore delle murature d'ambito mostra che sono state dimensionate per sorreggere una copertura molto più modesta e, quindi, verosimilmente, in legno[24]. Il cambiamento d'indirizzo, intervenuto successivamente, deve aver costretto a una serie di aggiustamenti per assolvere al maggior compito imposto da una copertura più pesante e spingente. Ecco quindi giustificata la scelta di costruire all'esterno tre contrafforti alternati a un sistema di quattro catene tuttora in opera. Le spese per la realizzazione di questi lavori furono sostenute da Eufrasina Barbavara, moglie di un visconte della corte ducale.

In queste prime e dibattute fasi costruttive le finestre sul lato orientale del refettorio dovevano essere piuttosto piccole e sistemate nella parte tra il fregio e l'inizio della volta: il corpo basso del chiostro e il tetto relativo non avrebbero consentito di abbassarsi troppo, come invece doveva essere stato possibile sulla parete occidentale, sempre in una seconda fase, ma comunque anteriore al 1495[25].

I consistenti lavori di adattamento intrapresi sul finire del XVI secolo interessarono anche questa parte della fabbrica. La necessità di creare una loggia continua su tutto il perimetro del chiostro al secondo livello impose la costruzione di due corpi di fabbrica addossati al fianco settentrionale della chiesa e alla parete orientale del refettorio.

Questa operazione determinò una consistente riduzione di luce all'interno del vano, per cui s'impose l'ampliamento delle finestre esistenti sul lato orientale, analogamente a quanto si osserva sulla parete occidentale. Su questo lato è conservata l'unica finestra integralmente originale: è la prima a sinistra per chi osserva la parete. Fu richiusa in occasione dell'ampliamento imposto dalla costruzione degli attigui locali dell'Inquisizione[26].

La chiesa solariana

La chiesa delle Grazie fu realizzata tra il 1466 e il 1482. Stando alle più recenti ricerche, la costruzione avrebbe preso avvio dal presbiterio, come dimostrerebbe una serie di dotazioni di cappelle all'interno della chiesa[27]. Tutto ciò corrisponderebbe a un consolidato criterio d'avanzamento dei lavori, tipico delle strutture conventuali, legato all'esigenza di celebrare gli uffici religiosi nel più breve tempo possibile, quando ancora la fabbrica è in corso di costruzione[28]. Una simile ipotesi, fra l'altro, troverebbe conferma in tutta quella tradizione sviluppatasi tra il 1240 e il 1264 che individuava la necessità di dotare le chiese di una profonda abside, una sorta di "chiesa interna", in cui poi sarebbe stato sistemato il coro.

In origine, secondo il Gattico, la chiesa delle Grazie avrebbe dovuto inglobare nella parte absidale il presbiterio, utilizzando la cappella della Beata Vergine delle Grazie. Con ciò, per la verità, si sarebbe determinato un diverso orientamen-

La volta "a ombrello" del coro rifinita con intonaci a graffito e con dodici oculi tondi

to secondo l'asse NNE-SSO, di certo non usuale. Del presbiterio, però, non c'è più traccia. Fu demolito pochi anni dopo il completamento della costruzione della chiesa per far posto alla tribuna bramantesca, come vedremo più avanti.

Dunque, sulla configurazione originaria di questa parte della chiesa rimangono davvero pochissime tracce. Anzi, esiste solo una relazione di Luca Beltrami che ci lascia la "testimonianza" di aver demolito i resti quattrocenteschi dell'ultimo contrafforte durante i lavori di restauro intrapresi intorno al 1890.

Le indagini successive, effettuate negli anni trenta, non sortirono alcun effetto. E ciò è imputabile anche al fatto che era prassi consolidata costruire su fondazioni molto poco profonde, se non quasi inesistenti.

Quindi rimangono soltanto le ipotesi ricostruttive, peraltro del tutto arbitrarie: di Pica e Portaluppi, pubblicate nell'unico rilievo esistente. Gli autori immaginano che la chiesa avesse avuto una terminazione poligonale in analogia con quanto si riscontra in parecchie chiese domenicane e, più in generale, mendicanti. L'ipotesi risulta abbastanza azzardata, se si pensa che questo tipo di soluzione è inconsueto sul territorio lombardo. Sicuramente non compare per tutto il Duecento ed è abbastanza raro nel Trecento[29].

La chiesa, sostanzialmente integra, si articola in tre navate e due teorie di cappelle quadrate: sette sul fianco meridionale, soltanto sei su quello settentrionale.

La copertura a volta a crociera costolonata, impostata su archi acuti, appare piuttosto greve, appesantita da decorazioni ad affresco che coprono tutta la superficie.

L'articolazione strutturale della nave centrale accoglie "anche la fattura delle volte pensili e degli archi trasversi retti da pilastri poggianti in falso sui capitelli delle colonne"[30], secondo la più consolidata tradizione dell'architettura mendicante delle chiese-a-sala.

Le serraglie in pietra delle chiavi di volta delle crociere sono raggruppabili secondo due distinti nuclei. Il primo, più consistente, si caratterizza per l'evidenza plastica del modellato che valica i limiti imposti dal bordo rilevato al contorno, mentre nel secondo prevalgono forme più tradizionali. "Appartengono a questo gruppo le tre ultime chiavi di volta della navata destra verso la tribuna, le serraglie dalla seconda alla quarta campata della navata sinistra e delle cappelle di questo lato della chiesa, ad eccezione della sesta. Tutte e due le serie mostrano tracce di colore sovrapposto alla pietra: si tratta nella maggioranza dei casi del blu con cui viene tinteggiata la concavità del fondo. Sono evidentemente all'opera per la chiesa milanese diversi maestri, che si direbbero attivi, almeno per quanto riguarda un consistente numero di pezzi del primo nucleo di serraglie, nell'ambito di una bottega o di un progetto unitario"[31].

I capitelli corinzieggianti sono l'unica concessione al gusto nuovo introdotto dagli architetti toscani operanti a Milano in quegli anni: si abbandonano le foglie lisce e lanceolate, come invece era stato fatto nei chiostri e nella biblioteca, e si introducono foglie e steli variamente modellati. Tuttavia le dimensioni e le proporzioni dei capitelli rispecchiano la tradizione locale, così come accade per il fusto delle colonne, dove la continuità con la tradizione lombarda è rappresentata dalla foglia liscia protezionale della base[32].

Delle cappelle, della loro dedicazione originaria e delle vicende che le hanno accompagnate nel tempo, solo da poco si ha una visione unitaria e la possibilità di lettura sistematica[33].

La prima cappella della navata destra è quella dei Santi Pietro e Paolo. In una prima fase ospitava le spoglie di Gabriele Fontana, allievo del Filelfo e membro della società tipografica fondata nel 1472. Nel 1539 risulta ceduta a Paolo da Cannobio e, infine, nel 1606, alla famiglia Rainoldi. Nella serraglia quattrocentesca della volta a crociera è raffigurato *San Pietro Apostolo*; in quella adiacente della navata *San Paolo*.

La seconda cappella è quella di San Bernardo e vi fu sepolto Filippo Ferruffini. Della configurazione originaria non rimane assolutamente niente. Le attuali sepolture risalgono alla fine del XVI secolo.

La terza cappella è quella di San Michele. La dotazione originaria dovrebbe risalire al 1483 e accoglie diversi cenotafi tra cui quelli di Giovanni Marliani, fisico, filosofo e matematico, di Giacomo Scrosati e di Amorato del Cerreto dei marchesi di Finale Ligure. La serraglia della volta raffigura l'*Annunciazione*.

La quarta cappella è quella di Santa Corona, dotata nel 1502 per ospitare le spoglie dei rettori dell'omonima congregazione fondata nel 1497 dal domenicano Stefano da Seregno e riconosciuta nel 1499. Rimase in possesso della confraternita fino al 1663.

La quinta cappella è quella di San Tommaso, originariamente dotata dalla famiglia Rusca e successivamente dalla famiglia Sauli. Questi ultimi, nel 1541, dedicarono la cappella a San Domenico "e con probabilità diedero disposizioni affinché fossero rimosse le tombe che in precedenza occupavano la cappella di San Tommaso".

La sesta cappella è quella di San Vincenzo, dotata dopo il 1508 dalla famiglia Atellani; ma la decorazione risale al primo Seicento. Nella serraglia è rappresentato un santo a cavallo.

La settima cappella è quella di San Giovanni Battista, dotata prima del 1513 da Agnese Botta e dal marito Giovan Francesco de Curte.

L'ottava cappella è situata all'interno del nicchione meridionale della tribuna bramantesca; intitolata a Santa Beatrice fu dotata dopo il 1503. Fu fatta costruire da Bergonzio Botta; personaggio influente della corte ducale, cui è attribuita una parte rilevante nella costruzione del portale della chiesa delle Grazie. Nella stessa cappella si trova anche la sepoltura di Filippo Borromeo, della moglie Apollonia e del figlio Cesare; dall'altra parte dell'altare, quella di Giovanni Borromeo, figlio di Filippo e comandante della fanteria ducale, ucciso nel 1536 da Baldassarre Rho.

Nel coro si trova la sepoltura di Beatrice Sforza, duchessa di Milano. Il monumento funerario, scolpito da Cristoforo Solari nel 1497 e scomposto nel 1564 secondo quanto di-

Il chiostro dei Morti

sposto dal Concilio di Trento, fu trasportato nella Certosa di Pavia. Accanto furono sistemati gli altri componenti della famiglia Sforza.

La decima cappella è quella di San Martino. Sembra che in origine avesse anche la contemporanea funzione di sagrestia. Il *Libellus Sepulchrorum* testimonia l'esistenza di molti cenotafi, tra cui quello di Bernardo da Treviglio, per il quale si è ipotizzato trattarsi di Zenale, che nel testamento del 1522 chiese di essere sepolto nella cappella di San Martino, dove già dal 1520 riposava il figlio Girolamo morto di peste.

L'undicesima cappella è quella di San Ludovico ed è situata all'interno del nicchione settentrionale della tribuna bramantesca. Vi fu sepolto fin dal 1505 Marchesino Stanga, segretario del Moro, con la moglie Giustina Borromeo.

La dodicesima cappella è quella della Beata Vergine delle Grazie, di cui si e detto in precedenza, che assume una funzione funeraria a partire dal 1483 con la morte di Giacomo Antonio Della Torre. Nei primi anni del Cinquecento si ricordano diversi altri cenotafi, quali quello del francese Archiburgo, capitano del castello di Porta Giovia, e quello del cardinal Branda Castiglioni, personaggio di enorme rilevanza per le numerose iniziative in campo religioso e per l'architettura del Rinascimento lombardo.

La tredicesima cappella è quella di San Domenico. Pare sia stata la prima a essere concessa in dotazione, forse già allo stesso Gaspare Vimercati, morto nel 1467, ma sicuramente alla famiglia. Successivamente la cappella passò ai Borromeo e nel 1575, su iniziativa di San Carlo, venne ristrutturata tramite l'inserimento di una cupoletta a cassettoni e lanterna, su progetto di Pellegrino Tibaldi.

La quattordicesima cappella è quella di San Pietro Martire e di Tutti i Santi. La dotazione più antica appartiene a Giovanni Maria Visconti e risale al 1501; successivamente, nel 1515, venne assegnata al conte Bernardino Mandelli.

La quindicesima cappella è quella di San Giovanni Evangelista. La dotazione risale al 1491, anche se si deve presumere che sia più antica e legata al nome di Cicco Simonetta, fratello di Giovanni. Quest'ultimo è raffigurato nella serraglia della volta insieme a San Giovanni, all'interno di una scritta scolpita che recita "Johanno Evangelista D. Iohannes Simonetae".

La sedicesima cappella è quella di Santa Maria Maddalena; sembra sia stata dotata da Antonio Cagnola, segretario ducale, nel primo decennio del Cinquecento. Nel 1532 il titolo viene condiviso con la famiglia de' Capitani. La serraglia quattrocentesca raffigura Santa Maria Maddalena con in mano l'ampolla che la tradizione evangelica vuole contenente il profumo con cui furono aspersi i piedi del Cristo.

La diciassettesima cappella è quella dei Santi Sebastiano e Rocco e appare dotata da Pietro Landriani e dalla moglie Elisabetta da Gallarate a partire dal primo decennio del Cinquecento. Catelliano Cotta, avendo sposato una figlia dei Landriani, fu ospitato nella cappella gentilizia di cui, peraltro, non rimane quasi niente di originale, dopo i danni causati dall'ultima guerra.

La diciottesima cappella è quella di Santa Caterina, ma e più conosciuta come cappella Bolla, dal nome della famiglia cui era stata affidata a partire dalla fine del Quattrocento.

La facciata principale della chiesa delle Grazie è ripartita in cinque campi, delimitati da sei contrafforti. La larghezza, di circa 32 metri, è quasi il doppio dell'altezza (19 metri).

Il coronamento è in cotto modellato a stampo e riprende un'usanza molto diffusa in area milanese[34]. Nella parte alta di ciascuna campitura si apre un oculo contornato dal caratteristico "collarino" in calce bianca, la cui funzione, oltre che strettamente decorativa, sarebbe stata soprattutto quella di mascherare le irregolarità costruttive[35].

Nessuna di queste aperture, però, illumina l'interno della chiesa; esse sono praticate sulla struttura a "tagliavento" sopraelevata rispetto alla quota della copertura, secondo un motivo abbastanza diffuso in Emilia e nella Lombardia del Trecento. Fanno parte di questa tradizione costruttiva le cosiddette "finestre a vento" di Lodi e della chiesa di San Francesco a Bologna[36].

Nella partitura centrale della facciata, al di sopra del portale bramantesco, si apre l'unico grande oculo lucifero, insieme alle quattro finestre archiacute, incorniciate dal bianco collarino in calce. Sotto tali finestre, in corrispondenza delle navate laterali, si osservano due porte piuttosto basse, della cui originaria esistenza Luca Beltrami dubita fortemente. Precedentemente, così come appare in una stampa del Cherbuni della metà dell'Ottocento, sopra queste aperture erano stati sistemati due portali barocchi che furono rimossi soltanto dopo il 1895.

Infine lo zoccolo, originariamente in mattoni come in San Pietro in Gessate, mentre l'attuale finitura in granito appartiene all'intervento operato da Luca Beltrami[37].

La facciata meridionale, che dà su corso Magenta, mostra delle lesene abbastanza pronunciate che suddividono il prospetto in sette campi corrispondenti alle campate interne. In ciascuno di essi si aprono due finestre archiacute, sormontate al centro da un oculo circolare. La grande copertura in coppi è interrotta da una modesta "cartella" muraria in corrispondenza della nave principale, forse originariamente sottolineata da un fregio dipinto di finitura.

In definitiva, l'articolazione strutturale della chiesa in tutte le sue parti si colloca in quel contesto di rievocazione della spazialità romanica, cui alcuni maestri del Quattrocento lombardo volutamente si ispirarono, con l'ambizione di far assurgere a linguaggio la propria tradizione costruttiva, in contrapposizione alle nuove proposte introdotte dagli architetti toscani.

Lo spazio interno si caratterizza per quella singolare articolazione delle membrature che induce alla percezione di un ambiente unitario, svolto in profondità ma dilatato trasversalmente, tanto da risultare immediatamente leggibile nella sua interezza[38].

L'uso della colonna, l'altezza delle navate e delle cappelle, tutte abbastanza simili, e l'illuminazione che proviene rigorosamente dalle aperture laterali contribuiscono a delineare uno spazio fortemente unitario e avvolgente, secondo una tradizione che accompagna costantemente fin dalle origini lo svolgersi dell'architettura mendicante, e domenicana in particolare, che prende il nome di chiesa-a-sala. Il "prototipo" più significativo in questo senso è, ancora a Milano e ancora nel primo insediamento domenicano, la basilica di Sant'Eustorgio[39]. Opportunamente "restaurata" dai predicatori nel XII secolo, essa esprime una nuova articolazione spaziale che sarà una caratteristica peculiare dell'architettura mendicante.

Nella seconda metà del Quattrocento proprio Guiniforte e Pietro Antonio Solari saranno gli interpreti più accreditati di una tradizione tanto radicata, che ha come intento il recupero di motivi arcaici. Perciò appare perfettamente legittimo attribuire la costruzione della chiesa a quel Guiniforte per il quale, addirittura, un decreto ducale parla di "ingenium quasi hereditarium et per manus majorum traditum", facendo esplicito riferimento a una tradizione familiare di architetti milanesi che ha segnato, con le numerose realizzazioni documentate o attribuite, uno dei più significativi esempi dell'architettura lombarda di quel periodo.

Rispetto alla tradizione costruttiva dei Solari la soluzione a sala a "gradinatura"[40], adottata per la chiesa delle Grazie accentua "il carattere di dotta citazione medievale"[41], ampliando la dimensione orizzontale della fabbrica; si sostiene la sua derivazione dalla pianta delle chiese del Carmine a Pavia e Milano, disegnate da Bernardino da Venezia[42].

Ludovico il Moro e l'intervento bramantesco

Negli anni intorno al 1480 Gian Galeazzo Visconti è ancora nominalmente a capo della città di Milano, ma di fatto il giovane conte Ludovico dimostra di volersi imporre nella gestione della cosa pubblica. Educato "agli ideali umanistici da Francesco Filelfo, [aveva] avuto modo di cono-

La volta della sagrestia Vecchia

scere le novità di Firenze, Mantova, Padova e Venezia"[43], e quindi, certamente, la chiesa delle Grazie nella versione solariana non poteva corrispondere alle sue aspettative culturali.

L'intervento sulla facciata delle Grazie, con la costruzione del portale bramantesco, è il segno di questo nuovo clima che porterà alla costruzione della tribuna e alla parziale distruzione della chiesa solariana. Tuttavia, al momento di questo primo lavoro, il complesso programma che sarà attuato successivamente non è ancora delineato.

Il portale

Il portale della chiesa fu costruito tra il 1480 e il 1490. Per interessamento personale di Ludovico il Moro fu fatto arrivare il marmo necessario dalla Fabbrica del Duomo di Milano, come risulta in una nota in cui si fa esplicito riferimento a una fornitura "ad perficiendam portam ecclesiae dominae S. Mariae Gratiis extra portam Vercellinam Mediolani".

La critica recente, a partire da Pica e Portaluppi, tende a escludere l'attribuzione del portale a Bramante, diversamente da quanto era accaduto in precedenza[44], quando addirittura, era stato ipotizzato l'intervento di Leonardo[45]. Le colonne in marmo, assimilabili a quelle colubrine disegnate sul Codice Atlantico, sono state lo spunto per avvalorare una simile attribuzione, a cui si aggiunge il fatto davvero significativo secondo cui la lunetta del portale era stata dipinta proprio dal maestro toscano. Successivamente l'opera andò distrutta e fu sostituita da un affresco di Michelangelo Bellotti realizzato nel 1729.

Generalmente si ritiene che il portale mostri solamente delle "assonanze" bramantesche. L'esecuzione sembra legata a esperienze di maestranze locali, riconducibili all'arte veneta, e si fanno i nomi di Rizzo, di Leopardi e di Coducci[46].

La tribuna

Scrive il Gattico: "Morto il conte Gasparo, il conte Ludovico che alla religione, per buona esemplarità della santa vita e costumi di quei padri e per le calde raccomandazioni fattegli dal conte suo amico prima che morisse, s'era sommamente affezionato, entrò in pensiero, quantunque ciò risaputo dai padri gli fosse di sommo disgusto, attesa la loro humiltà, di voler a poco a poco demolir tutte le fabbriche del conte come giudicandole troppo positive".

Così, il 29 marzo 1492 viene posta la prima pietra della nuova tribuna. Non erano trascorsi neppure dieci anni dal completamento della chiesa solariana che si decise di attuare un nuovo programma edificatorio.

Certamente, dopo la costruzione della tribuna, le intenzio-

Alle pagine seguenti
La sagrestia Vecchia

ni erano chiare: si sarebbe dovuto procedere a una radicale sostituzione della chiesa originaria. Come ben si comprende da una lettera indirizzata al suo segretario, Marchesino Stanga, il Moro sollecita un incontro tra "tutti li periti se trovino ne la architectura per esaminare et fare un modello per la fazada de Santa Maria de le Gratie, avendo respecto a l'altezza in la quale se ha da ridurre la ecclesia proporzionata alla cappella Grande"[47].

Tuttavia non conosciamo, neppure nelle linee generali, il programma complessivo, anche se è possibile immaginare che alla base del radicale intervento esistesse una precisa volontà di aderire alle istanze moderne, non solo in funzione strettamente architettonica, ma anche tenendo conto del nuovo senso di religiosità prodottosi con l'Umanesimo.

Nelle intenzioni del Moro la nuova chiesa sarebbe stata anche quel tempio-mausoleo che rientrava nelle aspettative degli Sforza fin dai tempi di Francesco e del Filarete[48]. In sostanza, il risultato definitivo avrebbe dovuto integrare le due parti costituite dalla struttura centrica della tribuna e da quella longitudinale delle navate, secondo uno schema che Francesco di Giorgio Martini aveva definito "composito" ed era ritenuto particolarmente degno di grandi chiese dedicate alla Madonna[49].

Molto di più, circa la configurazione generale della nuova chiesa, non sarebbe lecito dire se recentemente non fosse stato posto all'attenzione della critica un singolare documento. Si tratta di un disegno di Leonardo che il Pedretti ha evidenziato per ricalco ed è contenuto nel Ms.I, conservato nella Biblioteca dell'Istituto di Francia[50]. Questo piccolo grafico, accompagnato da due scritte e un numero, sembra proprio che abbia un preciso riferimento con la chiesa delle Grazie e, di fatto, la pianta ricorda molto da vicino quella della tribuna.

Immaginando di poter considerare questo disegno l'effettivo piano di ricostruzione, l'assetto del complesso sarebbe stato radicalmente variato. Il corpo longitudinale della chiesa, dopo la "strozzatura" che si osserva in corrispondenza del lato occidentale della tribuna, avrebbe dovuto allinearsi con la muratura di questa, introducendo sensibili variazioni anche nel chiostro dei Morti.

La tribuna ha una base cubica, delineata da quattro possenti contrafforti, dai quali si dipartono altrettanti archi a tutto centro e sui quali s'imposta la cupola. Sui lati di settentrione e di meridione s'innestano due absidi, mentre sul lato orientale si apre una scarsella cubica, coperta a volta, che richiama alla mente la soluzione adottata da Brunelleschi per la sagrestia Vecchia di San Lorenzo a Firenze e quella della stessa cappella Portinari in Sant'Eustorgio. Il lato occidentale della tribuna si collega con la navata solariana e impone, a causa della maggiore altezza in chiave, un adeguamento insolitamente verticalizzato della volta a crociera preesistente.

Per quanto attiene la paternità dell'opera non esiste un quadro di opinioni unitarie. Generalmente si parla di una struttura bramantesca, intendendo con questo che si ipotizza un qualche coinvolgimento del maestro nella definizione progettuale dell'opera, ma non un suo diretto intervento, quanto meno nella fase esecutiva.

Già il Bianconi, alla fine del Settecento, mette in dubbio che possa trattarsi di Bramante, e questa opinione verrà ripresa dalla maggior parte degli studiosi che si sono occupati del problema. Tuttavia esistono testimonianze quasi contemporanee allo svolgersi degli eventi costruttivi che sostengono il contrario. La prima ci viene offerta da una cronaca dei primi anni del Cinquecento di Giorgio Rovegnatino, che dice testualmente: "ab egregio viro Bramante urbinate architectonicae artis peritissimo erecta est ea tribuna"[51]. C'è poi un documento conservato nei registri della Certosa di Pavia in cui si legge: "Nota di marmi consegnata dal predetto monastero d'ordine del Duca di Milano a Maestro Bramante ingegnere, cioè 12 colonne condotte a Vigevano e d'altri marmi per la chiesa di Santa Maria delle Grazie e per la Porta del Castello di Milano per li prezzi come ivi"[52]. Più tardi, in uno scritto del 1756, vien ricordato che la "gran cupola [...] fu da Bramante unita al corpo dell'antica chiesa".

Dunque, il fatto che si neghi, quanto meno in parte, che Bramante possa essere l'autore dell'opera, discende da considerazioni di carattere stilistico e da altre circostanze che testimoniano la discontinua presenza dell'architetto in cantiere. Sappiamo per certo che tra il 1492 e il 1493, all'inizio dei lavori, fu più volte assente da Milano e inoltre sappiamo che era impegnato in altri importanti incarichi, quali la costruzione della canonica di Sant'Ambrogio[53].

In linea generale si ritiene che Bramante sia l'ispiratore dell'opera nel suo complesso, e altrettanto fondata è la convinzione che l'esecuzione sia stata affidata ad altri. Tuttavia non mancano sottili distinzioni. All'interno della chiesa molti elementi rimandano in maniera inequivocabile ai modi del maestro urbinate. È il caso dei tondi delle arcate, che hanno precisi riferimenti con quelli già realizzati in San Satiro e, ancora, l'inserimento di ruote raggiate costituite da balaustrini che rimandano alla stessa incisione Prevedari.

Per quanto riguarda l'esterno valgono ancora le considerazioni formulate da Bianconi: "quantunque a molti piaccia che l'architetto di quest'ultima porzione sia Bramante [...] vedendola troppo trita, meschina, massima nell'interno e

Bernardino Butinone,
Beato Reginaldo d'Orléans,
navata sinistra

divisa molto dalle altre sue produzioni"[54]. Parole analoghe vengono espresse negli anni quaranta da Pica e Portaluppi: "Presbiterio e nicchioni hanno decorazione trita composta di candelabre ricche di cornici e di bellissimi medaglioni; la serietà dell'insieme si ritrova nella parte basamentale dove il triplice piedistallo forma un alto, nobile motivo di inequivocabile impronta bramantesca"[55]. Le valutazioni espresse dai due autori risultano piuttosto complesse e restituiscono un quadro più frammentario di quanto in effetti non sia l'articolazione del monumento nel suo insieme. Dunque, valgono le valutazioni espresse da Bruschi, che si esprime in questi termini: "Tale organizzazione volumetrica, probabilmente fino all'inserzione di alcuni elementi particolari come le 'tribune morte' e i piloni angolari, deve riferirsi pertanto all'autore del progetto d'insieme, cioè quasi sicuramente a Bramante; anche se, come a Pavia, e forse anche a San Satiro, è possibile che a lui fossero affiancati altri maestri, qui ad esempio l'Amadeo e magari lo stesso Leonardo"[56].

Per quanto attiene alla tribuna, rimane un'altra questione da esaminare, che riguarda l'aspetto coloristico. Anche per questo si registrano almeno due posizioni. Una è quella di Chierici[57], che sostiene l'ipotesi di una costruzione completamente intonacata. L'altra, la più accreditata e diffusa, che prospetta una soluzione abbastanza simile a quella che oggi osserviamo. In particolare si ritiene che il colore originale dell'intonaco dovesse essere un "ocra giallo-rossigno", nell'intento di accordare cromaticamente la nuova fabbrica con la chiesa solariana.

Il chiostro delle Rane e la sagrestia

La costruzione della nuova tribuna impose, comunque, un adeguamento funzionale del complesso. In particolare, essendo stati demoliti i locali della sagrestia della chiesa solariana, si dovette trovarne di nuovi in un area adiacente. Perciò fu progettato il nuovo chiostro perfettamente quadrato, scandito da cinque intercolumni su ciascun lato, con colonne corinzie e volte a crociera.

Il composto assetto della fabbrica è decorato da ghiere in cotto le cui chiavi d'arco sono state attribuite a Biagio da Vairone[58].

La sagrestia rettangolare è coperta con una volta a botte unghiata, raccordata nelle due testate con volte a ombrello, secondo un criterio costruttivo del tutto analogo a quello che abbiamo visto usare nel refettorio.

Sul lato corto settentrionale s'innesta un'absidiola semicircolare coperta da un semicatino.

Sopra l'alta trabeazione su cui si imposta la volta si aprono quattro grandi oculi sui lati lunghi, uno soltanto su quelli corti.

La decorazione in cotto risulta molto rimaneggiata, soprattutto durante i restauri intrapresi negli anni 1895-1898.

Il chiostro e la sagrestia sono generalmente attribuiti a Bramante, anche se è legittimo sollevare dubbi in merito. Appare del tutto convincente l'opinione espressa da Bruschi che afferma: "La sagrestia delle Grazie ha nel suo insieme caratteristiche che preannunciano alcuni modelli del primo Bramante romano; ad esempio quelli del refettorio degli ambienti del convento di Santa Maria della Pace"[59]. Si ritiene che questo complesso di opere complementari alla costruzione della tribuna sia stato terminato nel 1497[60].

Il complesso monumentale delle Grazie ha subito nel tempo una serie considerevole di interventi e aggiunte. Quelli che interessa segnalare sinteticamente sono soltanto alcuni. Ad esempio, la costruzione del campanile è avvenuta intorno al 1510; successivamente, durante i restauri di fine Ottocento, fu abbassato di circa tre metri[61].

Nel 1559, allorché viene trasferito il Tribunale dell'Inquisizione da Sant'Eustorgio alle Grazie, s'impone un ulteriore accrescimento della struttura conventuale verso la parte occidentale, che va ad addossarsi alla struttura del refettorio così come abbiamo visto in precedenza. Questi locali furono poi demoliti per ordine di Maria Teresa d'Austria nel 1785, quando fu imposta la soppressione del Tribunale.

Infine, il cosiddetto "chiostrino del Priore". È opera recente, della fine dell'Ottocento, realizzata nello spazio di risulta tra la fabbrica bramantesca e il convento solariano.

[1] A.M. Caccin, *Come nasce un convento*, in *Santa Maria delle Grazie in Milano*, Milano 1983, pp. 16-34.

[2] M. Rossi, *Novità per Santa Maria delle Grazie di Milano*, Appendice documentaria di Z. Grosselli, in "Arte Lombarda", 66, 1983/3, pp. 40-43.

[3] G. Villetti, *Legislazione e prassi edilizia degli ordini mendicanti nei secoli XIII e XIV*, in *Francesco d'Assisi. Chiese e conventi*, Milano 1982, pp. 23-31. Cfr. anche G. Villetti, *Prospettive di ricerca sugli ordini mendicanti: il Fondo "Libri" dell'Archivio generale dell'ordine dei predicatori*, in "Architettura Archivi", I, n. 1, 1982.

[4] Cfr. *Acta Capitulorum generalium ordinis praedicatorum*, in "Monumenta Ordinis Praedicatorum Historia", III, 1897, p. 99.

[5] Cfr. Humbertus de Romans B., *Opera de vita regulari*, II, a cura di J.J. Berthier, Roma 1889, pp. 331-332.

[6] Cfr. G. Villetti, *Legislazione...*cit., p. 24 sgg.

[7] Cfr. A. Pica e P. Portaluppi, *Le Grazie*, Roma 1938, p. 19.

[8] Cfr. P.G. Gattico O.P., *Descrizione succinta e vera delle cose spettanti alla Chiesa e al Convento di Santa Maria delle Grazie e di Santa Maria della Rosa e suo luogo e altre loro aderenze in Milano dell'Ordine dei Predicatori*, ms. (sec. XVIII), Archivio di Stato di Milano, Fondo di Religione, p.a., Conventi, Milano, cart. 1398.

[9] Cfr. M. Rossi, *op. cit.*, pp. 40-43.

[10] Cfr. A.M. Romanini, *L'architettura milanese nella seconda metà del Quattrocento*, in *Storia di Milano*, Milano 1956, p. 610 sgg; Id., *Le chiese a sala nell'architettura "gotica lombarda"*, in "Arte Lombarda", III, 2, 1958, p. 52; Id., *L'archiettura gotica in Lombardia*, Milano 1964, p. 509 sgg.

[11] Cfr. A. Bruschi. *L'architettura*, in AA.VV., *Santa Maria delle Grazie in Milano*, Banca Popolare di Milano, Milano 1983, n. 63.

[12] Cfr. G. Villetti, *Legislazione...* cit., p. 23-31; più in generale L. Gillet. *Histoire artistique des ordres mendiants*, Paris 1912; P.T. Masetti, *Monumenta et antiquitates veteris disciplinae ordinis praedicatorum*, Roma 1864; E. Meersseman O.P., *L'architecture dominicaine au XIIIe siècle. Legislation et pratique*, in "Archivium Fratrum Praedicatorum Historicum", XVI, 1946, pp. 136-190; A.M. Romanini, *Architettura monastica occidentale*, in *Dizionario degli istituti di perfezionamento*, I, Roma 1974.

[13] Cfr. A. Pica e P. Portaluppi, *op. cit.*, p. 34; A. Bruschi, *op. cit.*, p. 47 e n. 19.

[14] Cfr. A. Pica e P. Portaluppi, *op. cit.*, p. 33 sgg.

[15] Cfr. A. Pica e P. Portaluppi, *op. cit.*, p. 29 sgg.; A. Bruschi, *op. cit.*, p. 39 sgg.

[16] Cfr. A. Bruschi, *op. cit.*, p. 86 sgg.

[17] Cfr. A. Pica e P. Portaluppi, *op. cit.*, p. 31; A. Bruschi, *op. cit.*, p. 39.

[18] Cfr. F. Malaguzzi Valeri, *I Solari*, in *Italienische Forschungen*, Firenze 1906, p. 83.

[19] Cfr. A. Pica e P. Portaluppi, *op. cit.*, p. 23.

[20] Cfr. A. Bruschi, *op. cit.*, p. 40

[21] *Ibidem*.

[22] Cfr. in generale, G. Rocco, *Quel che è avvenuto al Cenacolo vinciano. Come si risana il capolavoro*, Milano 1947, pp. 1-19; G. Martelli, *Ricerche e precisazioni sull'ambiente del "Cenacolo vinciano" nel complesso monumentale di S. Maria delle Grazie*, in "Notiziario della Banca Popolare di Sondrio", 18, 1978, pp. 31-49; Id., *Il Refettorio di S. Maria delle Grazie in Milano e il restauro di Luca Beltrami nell'ultimo decennio dell'Ottocento*, in "Bollettino d'Arte", n.s., 8, 1980, pp. 55-72; M.L. Gatti Perer, *Umanesimo a Milano. L'osservanza agostiniana all'Incoronata. Il "Magnifico Refettorio"*, in "Arte Lombarda", 53, n.s. 57, 1980, p. 54; M. Rossi, *Problemi di conservazione del Cenacolo nei secoli XVI e XVII*, in "Arte Lombarda", 62, n.s. 3, 1982, pp. 58-65; R. Cecchi e G. Mulazzani, *Il Cenacolo di Leonardo da Vinci. Guida alla lettura del dipinto e storia dei restauri*, Firenze 1985.

[23] Cfr. G. Martelli, *Il Refettorio...*cit., p. 67.

[24] *Ibidem*, p. 60.

[25] *Ibidem*.

[26] *Ibidem*, p. 69.

[27] Cfr. M. Rossi, *Novità...*cit., p. 39 sgg.

[28] Cfr. G. Villetti, *Legislazione...*cit., p. 30. Cfr anche R. Bonelli, *Il Duomo di Orvieto e l'architettura italiana del Duecento e Trecento*, Roma 1972; A. Cadei, *Si può scrivere una storia dell'architettura mendicante? Appunti per l'area padano veneta*, in *Storia dell'architettura mendicante*, Milano 1980; A.M. Romanini, *L'architettura degli ordini mendicanti, nuove prospettive d'interpretazione*, in *Storia della città*, Milano 1978, pp. 5-15.

[29] Cfr. A. Cadei, *op. cit.*, p. 350.

[30] Cfr. A.M. Romanini, *L'architettura milanese...*cit., p. 611.

[31] Cfr. L. Giordano, *La scultura*, in AA.VV., *Santa Maria delle Grazie in Milano...*cit, p. 94 sgg.

[32] Cfr. A. Bruschi, *L'architettura*, in AA.VV., *Santa Maria delle Grazie in Milano...*cit, pp. 51-52.

[33] Cfr. M. Rossi, *Novità...*cit., ma soprattutto S. Aldeni, *Il "Libellus Sepulchrorum" e il piano progettuale di Santa Maria delle Grazie* in "Arte Lombarda", 67, n.s., 4, 1983, pp. 70-92, a cui sono totalmente debitore per quanto concerne l'argomento trattato.

[34] Cfr. L. Grassi, *Note sull'architettura del ducato sforzesco*, in *Gli Sforza a Milano e in Lombardia e i loro rapporti con gli stati italiani ed europei (1450-1530)*, Milano 1982; ma anche L. Maggi e M.C. Nasoni, *Per l'analisi del repertorio decorativo tardo-quattrocentesco a Milano; l'Ospedale Maggiore*, in *La scultura decorativa del primo Rinascimento*, Atti del convegno internazionale di studi (Pavia, 16-18 settembre 1980), Roma 1983, pp. 17-27; H.P. Autenrieth, *La "lettura coloristica" del chiostro canonicale di Novara. Appunti per il mattone a vista e l'incuria di decorazioni semplici*, in "Novarien", 11, 1981, pp. 39-72.

[35] Cfr. L. Grassi, *op. cit.*, p. 486.

[36] Cfr. A. Pica e P. Portaluppi, *op. cit.*, p. 45.

[37] *Ibidem*, p. 46.

[38] Cfr. A.M. Romanini, *Le chiese a sala...*cit., p. 63.

[39] Cfr. A.M. Romanini, *Architettura monastica occidentale...*cit., p. 10; A. Cadei, *op. cit.*, p. 341; M. Righetti Tosti Croce, *Architettura e scultura medievale*, in *La basilica di Sant'Eustorgio in Milano*, Banca Popolare di Milano, Milano 1984, pp. 45-68.

[40] Cfr. A.M. Romanini, *Le chiese a sala...* cit., p. 52 sgg.

[41] Cfr. A.M. Romanini, *L'architettura milanese...*, cit., p. 612.

[42] Cfr. *Ibidem*, p. 610. Cfr. anche A.M. Romanini, *L'architettura viscontea nel XV secolo. Chiese a sala e ad aula unica, campanili e palazzi quattrocenteschi nel Milanese*, in *Storia di Milano*, IV-V, Milano 1955, pp. 661-684; W. Krönig, *Hallenkirchen in Mittelitalien*, in "Kunstgeschichtliches Jahrbuch der Biblioteca Hertziana", 2, 1938.

[43] Cfr. A. Bruschi, *L'architettura*, cit., p. 58.

[44] Cfr. A. Pica e P. Portaluppi, *op. cit.*, p. 120. Inoltre De Pagave e C. Casati, *I capi d'arte di Bramante da Urbino nel Milanese*, Milano 1870, p. 44; L. Beltrami, *Santa Maria delle Grazie in Milano*, in *L'Italia monumentale*, Milano 1910; A. Bruschi, *Bramante architetto*, Bari 1969, pp. 242 e 783 sgg.; M. Salmi, *Il Cenacolo di Leonardo da Vinci e la chiesa delle Grazie in Milano*, in *Il Fiore*, Milano, s.d.

[45] Cfr. G. Mongeri, *L'arte in Milano*, Milano 1872, p. 212; L. Beltrami, *op. cit.*, e M. Salmi, *op. cit.*

[46] Cfr. A. Pica e P. Portaluppi, *op. cit.*

[47] Cfr. *Ibidem*, p. 124.

[48] Cfr. A. Bruschi, *L'architettura...*cit., p. 62.

[49] Cfr. *Ibidem*.

[50] C. Pedretti, *Il progetto originario per Santa Maria delle Grazie e altri aspetti inediti del rapporto Leonardo-Bramante*, in *Studi bramanteschi*, Atti del congresso internazionale (Milano-Urbino-Roma 1970), Roma 1974, pp. 197-203.

[51] A. Bruschi, *Bramante...*cit., p. 788.

[52] Cfr. A. Pica e P. Portaluppi, *op. cit.*

[53] A. Bruschi, *L'architettura...*cit., p. 76 sgg.

[54] A. Pica e P. Portaluppi, *op. cit.*, p. 126.

[55] *Ibidem*, p. 147.

[56] Cfr. A. Bruschi, *Bramante...*cit., p. 796. Per la questione della tribuna vale la bibliografia segnalata da A. Bruschi, *L'architettura...*cit., e *Bramante...*cit.; inoltre C. Saletti, *La fabbrica quattrocentesca dell'Ospedale di San Matteo a Pavia*, in "Arte Lombarda", VI, 1, 1960, che a p. 52 attribuisce la decorazione in cotto della tribuna a Rinaldo de Stauris. Recentemente, per aspetti nuovi e significativi, cfr. M. Rossi e A. Rovetta, *Indagini sullo spazio ecclesiale immagine della Gerusalemme celeste*, in "La dimora di Dio con gli uomini". Immagini della Gerusalemme celeste dal III al XIV secolo, catalogo della mostra, Milano 1983, pp. 104-115; L. Grassi, *Trasmutazioni linguistiche dell'architettura sforzesca: splendore e presagio al tempo di Ludovico il Moro*, in AA.VV., *Milano nell'età di Ludovico il Moro*, Atti del convegno internazionale, p. 45 sgg.; M. Rossi, *L'iconografia della città celeste e della beatitudine nella Cappella ducale in Santa Maria delle Grazie a Milano*, in "Città di Vita", XL, 1, 1985, pp. 107-127.

[57] Cfr. G. Chierici, *Alcune osservazioni sulla decorazione interna di Santa Maria delle Grazie*, in "Rassegna di Architettura", 12, 1963.

[58] A. Pica e P. Portaluppi, *op. cit.*, p. 205 sgg.

[59] *Ibidem*, pp. 213 e 317.

[60] Cfr. A. Bruschi, *Bramante...*cit., p. 800.

[61] L. Gremmo, *I restauri*, in AA.VV., *Santa Maria delle Grazie in Milano...*cit., pp. 196-213.

Gli interventi decorativi

Germano Mulazzani

La vicenda decorativa di un complesso conventuale come Santa Maria delle Grazie, così presente alla pietà dei cittadini milanesi, propone episodi artisticamente notevoli anche dopo il suo completamento architettonico, che ebbe due fasi distinte. Dopo aver esaninato gli interventi strettamente legati alle due fasi edilizie della chiesa e del convento, questa parte prenderà in considerazione, in ordine cronologico, le opere che vi sono conservate, in modo che sia restituita al lettore la ricca e complessa storia del monumento.

Affreschi e graffiti delle navate e della tribuna
Appena edificata, la chiesa solariana fu oggetto di una decorazione organica e completa, che interessò le volte e le pareti della navata centrale, le volte e i pilastri delle navate laterali. L'intera decorazione ad affresco del corpo della chiesa è ancora oggi visibile in massima parte, e offre un esempio tra i piu eloquenti e meglio conservati di come si intendesse la decorazione dell'interno di una chiesa nel secondo Quattrocento lombardo, prima dell'avvento del pieno Rinascimento, con Bramante e Leonardo. In parte tale decorazione assecondava e sottolineava l'architettura, in parte introduceva spunti nuovi, in contrasto con il gusto pienamente gotico di essa. Le decorazioni dei costoloni, le cornici che li affiancano, le fiammelle che ornano i campi lasciati liberi nelle vele, rientrano ancora nel gusto gotico tradizionale, mentre espressione del nuovo orientatnento sono i finti lacunari con rosoni dipinti negli intradossi degli archi e soprattutto i tondi scorciati, dipinti al di sopra degli archi della navata centrale, e le nicchie dei pilastri che separano le cappelle laterali. Nei tondi, dall'intradosso prospetticamente scorciato, sono rappresentati busti di santi. In tutto tredici (in origine quattordici, due per ogni campata, ma uno di essi è celato sotto la grande lunetta a stucco della settima campata che introduce alla cappella della Madonna), i santi e beati rappresentati sono, partendo dall'ingresso: due cardinali domenicani (non identificati), due papi domenicani (Innocenzo V e Benedetto XI), santa Caterina d'Alessandria e san Sebastiano, santa Caterina da Siena

e sant'Antonino, san Vincenzo Ferreri e san Domenico, san Tommaso d'Aquino (ma non è certa l'identificazione) e san Pietro Martire, infine Cristo, cui doveva cui doveva corrispondere sulla parete opposta il busto della Vergine[1]. Nelle nicchie dipinte sul fronte dei pilastri delle navate laterali sono pure rappresentati santi e beati dell'ordine domenicano. Alcuni sono andati perduti per la posa di lapidi sepolcrali e per i bombardamenti del 1943, che infierirono particolarmente sul complesso munumentale delle Grazie, distruggendo quasi completamente il refettorio, gran parte delle cappelle di sinistra, il chiostro dei Morti e la biblioteca. Di queste figure ne restano oggi cinque nella navata sinistra (san Pietro Martire, il beato Giacomo de' Ariboldis da Monza, il beato Roboaldo d'Albenga, san Domenico, il beato Reginaldo d'Orléans) e cinque in quella destra (santo con crocifisso in mano, non identificato; il beato Antonio Pavoni da Savigliano; un altro santo, non identificato, in atto di adorazione davanti all'immagine della Vergine; un santo indicato dalla scritta non originale come il beato Antonio d'As; un santo martire di cui resta soltanto il busto).

L'esecuzione di questi affreschi dovette logicamente avvenire in stretta contiguità con la conclusione dei lavori di architettura (1482), e la sua cronologia approssimativa (1482-1485 circa) appare credibile anche all'interno del percorso del suo probabile autore, Bernardino Butinone, il cui nome, ricordato per la prima volta dal Gattico, venne confermato dal Mongeri e dagli studiosi successivi[2]. Per i tondi della navata centrale, riemersi dalle sovrapposizioni secentesche soltanto nel 1892, per opera di Luca Beltrami, e nel corso del radicale restauro del 1935-1937, l'attribuzione non è concorde, ma l'ipotesi più probabile sembra quella di vedere qui al lavoro una équipe di pittori guidata sempre dal Butinone e formata, tra gli altri, da Zenale e Montorfano[3]. Se la presenza di Zenale è difficile da indivudare, più facilmente isolabile è quella di Butinone (i busti di san Pietro Martire e di san Tommaso sono molto vicini alle figure dei santi domenicani dei pliastri) e quelli di Montorfano (si vedano soprattutto la santa Caterina da Siena e il san Domenico), per il quale sono possibili i confronti con i suoi dipinti del refettorio. Penso che alla stessa équipe di pittori, e allo stesso periodo, siano da assegnare le perdute decorazioni del chiostro dei Morti e della sala del Capitolo. Per esse il Gattico aveva fatto il nome di Montorfano, che appare più probabile di quello di de' Rossi, avanzato dal Salmi dopo che, senza precise motivazioni, il Santambrogio gli aveva attribuito la primitiva decorazione del refettorio[4].

Un diverso gruppo di pittori, anche se in anni non lontani da quelli appena considerati, è da chiamare in causa per un

*Bernardino Butinone
e collaboratori (probabilmente
Donato Montorfano),
San Sebastiano, tondo scorciato
della navata centrale*

notevole episodio. È probabile anzi che sia da datare con qualche anticipo, in considerazione delle vicende costruttive del complesso delle Grazie e del referto stilistico. Si tratta infatti dell'affresco che orna la volta sopra l'altare della cappella della Madonna e che, dopo essere stato ricoperto dagli stucchi secenteschi, tornò alla luce in seguito ai bombardamenti del 1943. Strappato e collocato sulla volta dell'attigua Sala del Capitolo (1962), l'affresco, tornato oggi nella sua sede originaria, raffigura il busto dell'Eterno circondato da angeli ed è opera probabile della bottega di Bonifacio Bembo. Il confronto più ovvio è con la decorazione della cappella Ducale del Castello Sforzesco, che il Bembo e i suoi collaboratori eseguirono nel 1472-1473[5]. Il confronto giustifica una datazione anteriore a quella del completamento della chiesa, rinviando a un momento della cultura pittorica milanese che precede quello che vede l'affermazione di Butinone, Zenale, Montorfano accanto al primo manifestarsi di Leonardo, Bramante e del giovane Bramantino.

Testimonianze quattrocentesche nelle cappelle e nel refettorio
Il prestigio della nuova chiesa dei domenicani, documentato dalle attenzioni di cui fu oggetto da parte della famiglia ducale milanese fin dalla sua fondazione, dovette indurre ben presto molti notabili ad assicurarsi qui la propria sepoltura. La situazione attuale delle cappelle e dei numerosi monumenti funebri è il risultato di secolari trasformazioni dovute a cause che in parte sono le stesse che hanno modificato nel corso del tempo quasi tutti i grandi complessi conventuali. Alcune testimonianze restano dei primi interventi quattrocenteschi dovuti a privati milanesi. La più antica è offerta dal monumento funebre della famiglia Della Torre, collocato nella prima cappella destra nel 1935-1937 e in origine nella cappella della Madonna. Fu commissionato da Giovanni Francesco Della Torre nel 1483, come avverte la lapide posta sotto l'urna. Sostenuto da due colonne a candelabra, il sepolcro è formato da un'urna rettangolare ornata sulla fronte da tre rilievi *(Annuncizione, Adorazione dei pastori, Adorazione dei magi)* e sui fianchi da due stemmi, sormontata da un coperchio (nel quale è rappresentato il busto del Padre Eterno), sulla cui sommità è posto un genietto. La struttura del monumento trova molti riscontri nella scultura del secondo Quattrocento lombardo, e per esso è stata avanzata in passato l'attribuzione all'Amadeo e poi ai fratelli Tomaso e Francesco Cazzaniga, in considerazione delle strette affinità con il monumento Brivio conservato in Sant'Eustorgio, opera iniziata da Francesco Cazzaniga e affidata nel 1486, dopola morte di Francesco, a Tomaso Cazzaniga e a Benedetto Briosco[6].

Bottega di Bonifacio Bembo,
L'Eterno circondato da angeli,
decorazione della volta
della cappella della Madonna

Un altro intervento superstite del Quattrocento dovuto alla committenza privata è offerto dagli affreschi frammentari della cappella Bolla (la prima a sinistra). Doppiamente frammentari, perché il ciclo decorativo, da collocare all'ultimo decennio del secolo, rimase incompiuto, arrestandosi alla fascia superiore, e perché i bombardamenti del 1943 distrussero quasi completamente due delle tre lunette affrescate[7]. Il progetto decorativo doveva prevedere l'illustrazione delle storie di santa Caterina d'Alessandria e di santa Caterina da Siena, ma si fermò al registro superiore delle tre pareti. Oggi restano i due episodi di santa Caterina d'Alessandria dipinti sulla parete sinistra (*Santa Caterina davanti all'imperatore* e la *Disputa della santa con i retori pagani*) e uno dei due episodi di santa Caterina da Siena dipinti sulla parete di fronte *(Santa Caterina in udienza dal pontefice)*. Scoperti soltanto nel 1928 e pubblicati dal Salmi, gli affreschi, di notevole qualità stilistica e compositiva, sono stati assegnati a Montorfano[8]. L'attribuzione non convince, per il fatto che il pittore chiamato in causa nelle opere sicure non mostra mai il rigore prospettico e compositivo che rivelano questi affreschi, aspetti che invece caratte-

*Cristoforo de' Mottis (?), Santa
Caterina d'Alessandria davanti
all'imperatore, cappella Bolla,
parete sinistra*

*Cristoforo de' Mottis (?), Disputa
di santa Caterina d'Alessandria
con i retori pagani, cappella
Bolla, parete sinistra*

rizzano l'attività di Cristoforo de' Mottis, notevole artista del secondo Quattrocento lombardo, autore della decorazione della cappella di santa Caterina nel santuario di Crea e dei cartoni per la vetrata di san Giovanni Evangelista nel Duomo di Milano.

È da ricordare a questo punto l'attività del Montorfano nel complesso delle Grazie, con riguardo non solo alla ben nota *Crocifissione* ma anche all'intera decorazione del refettorio, che ricerche recenti tendono ad assegnargli[9]. Di questa decorazione rimane oggi, dopo le distruzioni del 1943, la parte che si estende sulla parete sinistra e mostra strette analogie con la decorazione delle navate della chiesa. Motivi tecnici e stilistici inducono poi a negare una soluzione di continuità tra essa e la grande *Crocifissione* di Montorfano firmata e datata 1495, per cui è probabile che allo stesso pittore debba essere attribuita e che si debba abbandonare una volta per tutte l'inconsistente ipotesi relativa a Bernardino de' Rossi.

Circa la *Crocifissione* non si potranno non confermare i giudizi riduttivi più volte espressi in occasione del confronto obbligatorio con il capolavoro leonardesco che le sta di fronte, al quale deve peraltro una fama che altrimenti difficilmente avrebbe meritato. Nelle poche opere che gli si possono assegnare con fondamento (gli affreschi dell'Ambrosiana provenienti da Santa Maria della Rosa e quelli della cappella di Sant'Antonio in San Pietro in Gessate) Montorfano si presenta senza variazioni di rilievo, costantemente impegnato a riproporre moduli e schemi mutuati dall'area padovana. I suoi limiti risultano più evidenti in questa grande composizione, ottenuta dall'aggregazione dei diversi elementi, senza una vera unità spaziale né alcuna tensione narrativa. Privo di significato è il suggerimento di chiamare in causa Bramante, anche solo come semplice ispiratore, per la veduta della Gerusalemme fantastica che compare sullo sfondo. Priva di un vero rigore prospettico, la sua costruzione è d'altra parte incapace di creare una unità spaziale intorno a sé, come sarebbe potuto accadere se questa presenza fosse stata adeguatamente utilizzata.

Con quest'opera di Montorfano siamo già pienamente nell'epoca "bramantesca" delle Grazie, che viene esaminata in dettaglio nel prossimo paragrafo. Culturalmente però fa parte dell'epoca precedente, e la stessa considerazione si deve fare a proposito dell'affresco votivo conservato oggi nella prima cappella destra, dove venne trasferito nell'immediato dopoguerra dalla cappella della Madonna. Raffigura la *Madonna con il Bambino, due santi e il donatore con la sua famiglia*, e il suo principale motivo di interesse è legato al fatto che si tratta di un dipinto votivo. Dato questo suo carattere è di difficile collocazione: presenta infatti

Pittore lombardo della fine
del Quattrocento, Madonna
con il Bambino, due santi
e il donatore con la sua famiglia,
prima cappella destra

Il coro ligneo, particolare degli stalli centrali dell'ordine superiore

aspetti che rimandano alla metà del secolo, accanto ad altri che presuppongono già la presenza di Leonardo. In ogni caso godibile resta l'inserto dei ritratti del committente e della sua famiglia, notevole anche sul piano documentario[10].

Intorno a Bramante

L'intervento di Bramante alle Grazie segna una svolta non solo dal punto di vista architettonico, ma anche da quello decorativo, non tanto per opere direttamente da lui promosse, quanto per il nuovo orientamento del gusto che, in ultima istanza, può essere ricondotto alla sua attività lombarda. Rientrano nell'ambito bramantesco le decorazioni interne ed esterne della tribuna, anche se è difficile stabilire se, e in quale misura, tali interventi si debbano a un progetto bramantesco. Per quanto riguarda l'esterno, la parte propriamente decorata della fascia superiore delle absidi (candelabre che si alternano alle paraste e medaglioni contenenti profili di santi), è di notevole raffinatezza, ma appare difficilmente riconducibile a Bramante, tanto evidenti sono i rimandi alla tradizione lombarda (si vedano la facciata della Certosa di Pavia e la cappella Colleoni di Bergamo). È da osservare tuttavia che il modulo decorativo è esemplato su quello che, all'interno, scandisce il tamburo della cupola. In questo caso l'effetto decorativo è ottenuto soltanto attraverso un raffinato contrasto cromatico, essendo gli elementi costitutivi ridotti a forme stilizzate. Perplessità più consistenti desta, pure all'interno della tribuna bramantesca, la decorazione a graffito che interessa praticamente tutte le pareti. Un restauro da poco concluso[11] ha consentito di recuperare la superficie della cupola e ha restituito a tutto l'interno i valori cromatici originari. Alla luce di quanto oggi è stato recuperato, appare probabile che il progetto bramantesco prevedesse una decorazione a graffito delle zone intonacate, allo scopo di renderle vibranti attraverso un contrasto chiaroscurale appena percettibile, ottenuto grazie alla leggera diversità di colore tra l'ultimo strato di intonaco e quello sottostante[12].

È difficile individuare riferimenti se non generici per l'intera decorazione graffita, dato anche il suo carattere artigianale, ma giustamente si è osservato che almeno il brano di maggior rilievo (i quattro tondi nei pennacchi della cupola, dove sono rappresentati i *Dottori della Chiesa*) è riconducibile alla cultura bramantesca, precisabile in direzione di Bramantino[13]. La presenza di quest'ultimo pittore, la personalità artistica più importante del primo Cinquecento milanese, è più o meno direttamente ravvisabile negli interventi decorativi della zona bramantesca (tribuna, chiostrino e sagrestia Vecchia): a lui direttamente è stata at-

Pittore lombardo, Resurrezione del figlio della vedova di Nain, 1520 circa, sagrestia Vecchia, riquadro di un armadio, lato sinistro

95

*Anonimo, Madonna
con il Bambino e i santi
Gerolamo, Domenico, Pietro
martire e Nicola da Bari con il
committente Nicolò Lachesnave,
1517, affresco della tribuna*

tribuita con fondamento la lunetta che sormonta il portale
di accesso alla sagrestia Vecchia, dove sono raffigurati a monocromo la *Madonna col Bambino tra san Luigi e san Giacomo*[14]. La presenza di san Luigi avverte che siamo nel periodo della dominazione francese a Milano, all'inizio del
Cinquecento. È da ricordare, prima di proseguire nell'esame delle opere cinquecentesche, un'opera che non è più
conservata alle Grazie ma che costituiva una delle principali realizzazioni volute da Ludovico il Moro nell'ambito
del suo progetto di fare della tribuna bramantesca il mausoleo per lui e per la sua famiglia. Il progetto rimase inter-
rotto per le note vicende politiche, e del sepolcro commissionato a Cristoforo Solari (per il quale l'artista riceveva
marmi nel 1494 e nel 1497) rimane soltanto il coperchio,
dove sono scolpite le figure giacenti di Ludovico il Moro e
della consorte Beatrice d'Este. Dopo diverse vicende il coperchio fu trasferito nel 1564 alla Certosa di Pavia, dove è
ancora oggi visibile nel braccio sinistro del transetto della
chiesa[15].

La dominazione francese non segna una battuta d'arresto
nei lavori di completamento e arricchimento del complesso delle Grazie. Almeno due importanti realizzazioni si collocano in questi anni: la decorazione della sagrestia Vecchia

*Marco d'Oggiono, San Giovanni
Battista e un cavaliere di Malta,
settima cappella destra, altare*

e l'adattamento (e ampliamento) del coro ligneo alla nuova abside della chiesa. Dalla *Descrizione* del Gattico apprendiamo che nel 1470 era stato eseguito il coro per la chiesa solariana e che nel 1510 esso fu trasferito nella nuova abside. Evidentemente si dovette trattare di un adattamento che comportò anche l'esecuzione di notevoli parti nuove[16], come in effetti risulta dall'esame della situazione attuale. Infatti i dossali dell'ordine inferiore presentano decorazioni intarsiate tipiche del Quattrocento (figurazioni geometriche ottenute con la giustapposizione di diversi legni, senza colorazioni sovrapposte), mentre quelli dell'ordine superiore (ornati con motivi floreali che si alternano a figure di santi) presentano una tecnica diversa, che già si allontana dalla vera tarsia quattrocentesca. La definizione delle figure non è quasi mai ottenuta con la giustapposizione di diverse essenze, ma con incisioni e con l'impiego dello stucco. Ciò sembra confermare le notizie e le date fornite dal Gattico[17].

Meno affidabili le notizie del Gattico appaiono invece per quanto riguarda gli armadi della sagrestia Vecchia, che furono realizzati, secondo il cronista, per custodire i preziosi arredi donati al convento da Ludovico il Moro dopo la morte di Beatrice, avvenuta nel 1497: nel 1498 furono portati a termine gli armadi della parete sinistra, mentre nel 1503 vennero iniziati quelli della parete opposta. È probabile che le date riportate dal Gattico si riferiscano all'inizio del lavoro, che poi dovette essere compiuto parecchi anni dopo e secondo direttive diverse. Infatti soltanto le lesene e i primi due sportelli del lato sinistro sono decorati con vere tarsie, mentre tutto il resto fu ornato con dipinti che vagamente ricordano la tecnica dell'intarsio. Ciò indicherebbe che il tutto sia stato realizzato in tempi di ristrettezze economiche, e cioè dopo la caduta del Moro, ma è soprattutto il referto stilistico ricavabile dalle figurazioni a suggerire una data molto più tarda, il secondo decennio del Cinquecento[18]. Le scene che ornano i dossi che sovrastano gli armadi illustrano quattordici episodi del Nuovo Testamento (lato sinistro) e ventuno dell'Antico (lato destro). Non ci sono ragioni particolari per supporre una diversa cronologia per i dossali di un lato rispetto a quelli dell'altro, piuttosto si nota una netta differenziazione stilistica. Mentre le scene del Nuovo Testamento rimandano chiaramente alla cultura pittorica di Bramantino, quelle dell'Antico Testamento, molto più popolaresche e sommarie, ricordano, anche se con minore evidenza, i modi di Gaudenzio Ferrarri. Non è fuori luogo il richiamo a Gaudenzio, la cui presenza alle Grazie è documentata da almeno due opere, come si vedrà oltre.

Con la raffinata decorazione della volta della sagrestia Vecchia, dove è ripreso il motivo dei nodi creato da Leonardo

*Gaudenzio Ferrari, Decorazione
ad affresco della volta della
cappella di Santa Corona,
quarta cappella destra*

per la sala delle Asse del Castello Sforzesco, può dirsi conclusa l'opera di decorazione dell'intero complesso in rapporto alla sua costruzione. Gli interventi successivi riguarderanno soprattutto le cappelle. Questo almeno fino al Settecento, quando si procedette a una nuova decorazione del presbiterio e dell'abside, e fino alla prima metà dell'Ottocento, quando si intervenne sull'intera tribuna, cupola compresa[19].

Il Cinquecento e il Seicento

L'intervento decorativo di maggior rilievo del XVI secolo è rappresentato senz'altro dalla cappella di Santa Corona (la quarta della navata destra). La confraternita di Santa Corona, fondata nel 1494 con l'intento di soccorrere i malati poveri, aveva alle Grazie, fin dal 1502, una propria cappella, il cui titolo era dovuto a una reliquia della corona di spine che vi era conservata. In essa venivano sepolti i rettori della confraternita. Nel 1539 Bernardino Ghilio, consigliere, disponeva nel suo testamento che fosse eseguita la pala d'altare della cappella e che sulle sue pareti si rappresentassero scene della Passione di Cristo. La pala veniva commissionata a Tiziano, gli affreschi a Gaudenzio Ferrari: entrambi i lavori risultano portati a termine entro il 1542[20]. Il prestigioso dipinto di Tiziano, la famosa *Incoronazione di spine*, è conservato al Louvre dopo che nel 1797 venne requisito dai francesi[21]. Lo stile espresso da Tiziano in quest'opera, atteggiata in senso manieristico e monumentale, è in qualche modo condiviso dagli affreschi di Gaudenzio, che pure non viene del tutto meno a quella vena narrativa e drammatica che aveva caratterizzato il suo primo periodo. Gaudenzio si era trasferito a Milano (dove morirà nel 1546) intorno al 1537, e questa è la sua prima opera milanese che ci sia rimasta. Su di essa gli studiosi hanno in genere formulato un giudizio riduttivo, tanto da ravvisarvi la presenza determinante di Giovan Battista della Cerva, collaboratore di Gaudenzio negli anni milanesi. Gli affreschi si estendono sulle pareti e sulla volta: sulla parete sinistra è dipinta la *Crocifissione*, su quella destra l'*Ecce Homo* e, sotto, la *Flagellazione*, mentre nelle vele della volta sono raffigurati otto *Angeli con gli strumenti della Passione*.

Che questi affreschi rappresentino una svolta manieristica per Gaudenzio, dovuta alla presenza dell'opera di Tiziano e alle sollecitazioni provenienti dall'ambiente milanese, è provato dal confronto con un altro affresco che lo stesso pittore aveva eseguito, sempre alle Grazie, soltanto nel 1541, come ha giustamente sottolineato Giulio Bora, riprendendo un'antica attribuzione dimenticata[22]. Si tratta di un affresco dipinto sulla parete di fondo della sagrestia Vecchia, raffigurante due angeli che scostano una tenda e, sotto, una tar-

Artista lombardo, Due profeti ai lati di un riquadro raffigurante l'Eterno che invia l'arcangelo Gabriele sulla terra, terza cappella destra, lunetta della parete destra

ga affiancata da due putti. La targa, apposta dal governatore di Milano Alfonso d'Avalos, riporta il nome di Luigi de la Cueva e la data 1541. Non è chiaro l'aspetto originario della composizione, visto che lo spazio compreso tra i due angeli fu successivamente occupato da una più tarda e debole mano che vi ha raffigurato un santo domenicano in preghiera e, alle sue spalle, una donna e un bambino inginocchiati. Non ritengo ci siano dubbi sull'attribuzione a Gaudenzio della composizione originale, né sul fatto che in essa il pittore si rivela molto più vicino al suo stile precedente. Un'altra opera infine fu dipinta da Gaudenzio per le Grazie, anch'essa, come la pala di Tiziano, requisita dai francesi. È il *San Paolo*, firmato e datato 1543, che si conserva nel Musée des Beaux-Arts di Lione[23]. Esso conferma pienamente la svolta manieristica di Gaudenzio avviata con gli affreschi della cappella di Santa Corona.

Più apertamente manierista è l'altro importante ciclo decorativo realizzato negli stessi anni: gli affreschi e la pala della cappella di San Domenico (la quinta della navata destra), commissionati da Domenico Sauli, che aveva ottenuto il

*Coriolano Malagavazzo, Madonna
col Bambino tra san Domenico
e san Lorenzo, 1595, cappella
di san Vincenzo Ferreri, altare*

Cerano (Giovan Battista Crespi) e collaboratori, La Vergine libera Milano dalla peste, navata sinistra, ultima campata

patronato della cappella nel 1541. La pala è dedicata alla *Crocifissione*, gli affreschi della volta a *Profeti* e *Sibille*, quelli delle pareti laterali alla *Andata a Emmaus* (parete sinistra) e al *Noli me tangere* (parete destra)[24]. Autore degli affreschi e della pala d'altare è Giovanni Demìo, ma, se la sua firma non fosse stata scoperta nel 1936, l'opera sarebbe rimasta senza paternità, tanto varie sono le componenti stilistiche che essa rivela e che riflettono le multiformi esperienze di questo artista veneto. Esperienze che spaziano per gran parte della pittura dell'Italia centrale e settentrionale e che comprendono anche suggestioni nordiche[25]. Nella seconda metà del secolo è presente alle Grazie un altro pittore forestiero, il genovese Ottavio Semino, che dipinse, intorno all'ottavo decennio, nella cappella di San Giovanni Battista (l'ultima della navata destra). Nella volta, divisa in otto spicchi da eleganti cornici a stucco, sono rappresentati otto *Profeti*, mentre sulle pareti laterali la *Predicazione del Battista* (parete sinistra) e la *Decollazione del santo* (parete destra)[26]. La ricca decorazione a stucco e lo stile del Semino, influenzato dal tardo manierismo dell'Italia centrale, fanno di questa cappella una notevole espressione del gusto tardo-cinquecentesco, condiviso dalla decorazione della cappella Marliani (la terza della navata destra), dedicata agli angeli. Il suo autore, non identificato con certezza, ha dipinto nella volta i *Cori angelici* e sulle pareti due coppie di *Profeti* che affiancano due riquadri raffiguranti *San Michele sconfigge Satana* (a sinistra) e *L'Eterno invia l'arcangelo Gabriele sulla terra* (a destra). La pala d'altare, dello stesso pittore, rappresenta *l'Incoronazione della Vergine con san Michele e san Gerolamo*[27]. Alla stessa cultura artistica, ma con aggiornamenti sui grandi pittori del primo Seicento lombardo, appartengono gli affreschi della cappella di San Vincenzo Ferreri (la sesta della navata destra), opera dei fratelli Giovan Battista e Giovan Mauro della Rovere, detti "i Fiammenghini". Sulla parete sinistra sono raffigurati due *Episodi della vita di san*

Vincenzo Ferreri, su quella destra due scene del *Martirio di san Vincenzo Diacono*. Al martirio di quest'ultimo alludono gli strumenti di tortura esibiti dai quattro angeli dipinti nelle vele della volta. Una maggiore chiarezza espositiva e una chiara insistenza sugli aspetti macabri rivelano che ci troviamo ormai nel clima del pieno Seicento, mentre la pala d'altare rinvia all'estrema fase del manierismo lombardo: dedicata alla *Madonna col Bambino tra san Domenico e san Lorenzo*, è datata 1595 e firmata da Coriolano Malagavazzo, allievo di Bernardino Campi.

La cultura artistica del Seicento, che per Milano segna un periodo di netta ripresa, grazie soprattutto alle iniziative promosse da Federico Borromeo, lascia alle Grazie una traccia cospicua, purtroppo giunta a noi solo parzialmente. Come atto di ringraziamento della città per la cessazione della peste del 1630 viene commissionata al Cerano la grande lunetta da collocare sopra l'ingresso della cappella della Madonna (parete dell'ultima campata della navata sinistra). Anche se è probabile che l'esecuzione del dipinto spetti in gran parte ai collaboratori (in particolare a Melchiorre Gherardini), la lunetta con la *Vergine che libera Milano dalla peste* è rappresentativa della sensibilità del Cerano, della sua capacità di interpretare con grande aderenza il clima di cupa desolazione provocato dalla peste[28]. Certamente agli stessi anni risale la completa ristrutturazione della cappella della Madonna, che venne rivestita di una ricca decorazione a stucco e ad affresco, distrutta dai bombardamenti del 1943. Perduti così gli affreschi di Melchiorre Gherardini nelle vele della campata antistante la cappella, resta invece intatta la grande lunetta di stucco che copre l'intera parete sinistra della corrispondente campata della navata centrale. Recentemente restaurata[29], la lunetta, che rappresenta la *Madonna del Rosario circondata da santi e devoti*, si rivela di notevole qualità. Impostata sul contrasto tra il bianco delle figure e l'azzurro dello sfondo, la composizione sembra volere imitare i rilievi robbiani, con esiti di grande raffinatezza, mentre la definizione delle fisionomie e dei panneggi presenta una dignità che va oltre la semplice abilità artigianale.

Tra gli altri interventi superstiti del XVII secolo sono da menzionare gli affreschi di Stefano Danedi nell'abside della sagrestia Vecchia[30] e la pala, dello stesso pittore raffigurante la *Madonna col Bambino che appare a santa Rosa da Lima*, collocata oggi nella sesta cappella della navata sinistra[31].

Dal Settecento a oggi
Ai primi decenni del Settecento risaliva la nuova decorazione del presbiterio e dell'abside, che fu completamente rimossa nel 1935-1937, quando fu rimossa, come si è già ri-

cordato, anche la decorazione della tribuna, che risaliva invece alla prima metà dell'Ottocento. Il restauro del 1935-1937, per quanto condotto con criteri oggi in gran parte non più condivisibili, segna una data importante nella storia delle Grazie, così come le distruzioni causate dai bombardamenti del 1943 hanno lasciato profonde tracce.

Con gli eventi appena ricordati si può dire conclusa la vicenda storica del complesso monumentale. Ovviamente la sua vita non si è fermata, e registra interventi di restauro e nuove acquisizioni. Tra queste ultime sono da segnalare: nella prima cappella della navata sinistra (la già ricordata cappella Bolla), sopra l'altare, sono collocati sei bassorilievi in bronzo raffiguranti *Episodi di santa Caterina da Siena*, opera e dono di Francesco Messina (1981); nella quarta cappella, sempre a sinistra, sono accolti i cenotafi del senatore Ettore Conti (promotore dei restauri del 1935-1937) e della moglie, opera di Federico Wildt (1935). Sopra l'altare, nella stessa cappella, un trittico (*Madonna con il Bambino tra san Giovanni Battista e san Pietro Martire*), firmato e datato Niccolò da Cremona 1520, pittore non altrimenti noto, è un deposito della Pinacoteca di Brera. Sull'altare della sesta cappella, pure nella navata sinistra, è collocata una piccola pala di Paris Bordon (*Sacra Famiglia con santa Caterina d'Alessandria*), in deposito dalla Certosa di Pavia. Sulla parete sinistra della quinta cappella è appesa una tela, donata recentemente alle Grazie, raffigurante il *Miracolo di san Ludovico Bertràn*, identificata con un dipinto di Giambattista Lucini per la chiesa di San Domenico a Crema[32].

Nella seconda cappella della navata destra la pala d'altare, raffigurante *San Martino de Porres in estasi davanti al Crocifisso*, è opera di Silvio Consadori (1962).

[1] L'identificazione di queste figure e di quelle raffigurate nelle nicchie dei pilastri delle navate laterali è fornita da A.M. Caccin, *Santa Maria delle Grazie e il Cenacolo Vinciano*, Milano 1985 (4ª ed.), pp. 54-55.

[2] P.G. Gattico O.P., *Descrizione succinta e vera delle cose spettanti alla Chiesa e Convento di Santa Maria delle Grazie e di Santa Maria della Rosa e suo luogo e altre loro aderenze in Milano dell'Ordine dei Predicatori*, ms (sec. XVIII), Archivio di Stato di Milano, Fondo di Religione, p.a., Conventi, Milano, cart. 1398; G. Mongeri, *L'arte in Milano*, Milano 1872, p. 214; M. Salmi, *Bernardino Butinone*, in "Dedalo", 10, 1929-1930, p. 341; F. Mazzini, *Affreschi lombardi del Quattrocento*, Milano 1965, p. 474; G. Mulazzani, *La decorazione pittorica: il Quattrocento*, in AA.VV., *Santa Maria delle Grazie in Milano*, Milano 1983, p. 115.

[3] F. Mazzini, *op. cit.*, p. 474.

[4] M. Salmi, *Il Cenacolo di Leonardo da Vinci e la Chiesa delle Grazie a Milano*, Milano s.d. [1926], commento alla tav. 11; D. Santambrogio, *Bernardino de' Rossi in Santa Maria delle Grazie in Milano*, in "Archivio Storico dell'Arte", n.s., 1, 1985, pp. 20-32.

[5] G. Mulazzani, *op. cit.*, p. 117: l'attribuzione a Bembo risale alla Gengaro, *Breve percorso tra gli anonimi lombardi del Quattrocento*, 3, 1958, pp. 75-79, mentre il Mazzini, *op. cit.*, pp. 480-481, pensa al primo Montorfano.

[6] Su questo sepolcro e sui principali interventi di scultura alle Grazie si veda il saggio di L. Giordano, *La scultura*, in AA.VV., *Santa Maria delle Grazie...cit.*, pp. 90-111. Degli altri monumenti funebri, tutti di dimensioni più modeste, è da ricordare soprattutto quello di Branda Castiglioni (una lapide con cornici a rilievo, sormontata da una lunetta che racchiude il ritratto del defunto, morto nel 1495), collocato nella seconda cappella della navata sinistra. Quattro cenotafi cinquecenteschi, un tempo collocati sui pilastri delle navate laterali, sono stati trasferiti nel corso dei restauri del 1935-1937 nella seconda cappella della navata destra.

[7] La datazione approssimativa degli affreschi si basa sul fatto che nel 1490 muore il committente, il giureconsulto Francesco Bolla; d'altra parte si può supporre che la causa dell'interruzione dei lavori vada messa in relazione con la caduta di Ludovico il Moro. Sugli affreschi e sulla loro attribuzione a Cristoforo de' Mottis, cfr. G. Mulazzani, *op. cit.*, pp. 119-122.

[8] M. Salmi, *Gli affreschi scoperti in Santa Maria delle Grazie a Milano*, in "Bollettino d'Arte", s. II, 8, 1928, pp. 3-13; l'attribuzione a Montorfano è ripresa da F. Mazzini, *Problemi pittorici bramanteschi*, in "Bollettino d'Arte", IV, 49, 1964, p. 340.

[9] Cfr. G. Martelli, *Il Refettorio di Santa Maria delle Grazie in Milano e il restauro di Luca Beltrami nell'ultimo decennio dell'Ottocento*, in "Bollettino d'Arte", n.s., 8, 1980, pp. 55-72. Per il Montorfano, e relativa bibliografia, cfr. G. Mulazzani, *op. cit.*, pp. 122-130.

[10] M. Salmi, *Il "Cenacolo"...cit.*, commento alla tav. 38, nota che la donna e la bambina vestono alla spagnola, secondo una moda introdotta a Milano da Isabella d'Aragona, venuta sposa del duca Gian Galeazzo nel 1489. Per altre osservazioni cfr. F. Mazzini, *Affreschi...cit.*, p. 485.

[11] Il restauro ha provveduto al recupero dei graffiti originali della cupola, scoprendo l'intonaco originale conservato quasi integralmente. Nel corso del restauro del 1935-1937, forse nell'intento di uniformare il colore della calotta a quello del restauro della tribuna (cfr. A. Pica e P. Portaluppi, *Le Grazie*, Roma 1938, pp. 166-167), tutta la superficie, dopo essere stata liberata della decorazione neoclassica, era stata ritinteggiata e i graffiti, di nuovo così celati, erano stati ripresi a pennello. L'intervento di restauro, finanziato dal Ministero per i Beni Culturali e Ambientali, è stato condotto da Giovanni Rossi, con la direzione di Germano Mulazzani.

[12] Giustamente Pica e Portaluppi, *op. cit.*, p. 167, distinguono i graffiti in tre gruppi: quelli dei pennacchi, quelli della cupola e quelli del presbiterio.

[13] G. Bora, *La decorazione pittorica: sino al Settecento*, in AA.VV., *Santa Maria delle Grazie...cit.*, pp. 140-143.

[14] Cfr. G. Mulazzani, *L'opera completa del Bramantino e Bramante pittore*, Milano 1978, p. 92. Genericamente alla bottega di Bramantino è invece assegnabile l'altra lunetta conservata nello stesso chiostrino, sopra la porta di accesso alla chiesa, dove due santi domenicani sono dipinti a monocromo ai lati di un bassorilievo raffigurante la *Madonna col Bambino*. Un giudizio analogo si deve esprimere per il frammento di affresco della *Natività* che, strappato dalla cappella della Madonna, è conservato all'interno del convento; cfr. G. Mulazzani, *op. cit.*, p. 132.

[15] Su Cristoforo Solari (detto il Gobbo), scultore, cfr. G. Nicodemi, in *Storia di Milano*, X, Milano 1957, pp. 791-794.

[16] Sulle vicende e sulle caratteristiche del coro si veda B. Ciati, *Il coro*, in AA.VV., *Santa Maria delle Grazie...cit.*, pp. 214-223.

[17] Opportunamente B. Ciati, *op. cit.*, p. 219, accosta le tarsie degli stalli superiori a quelle del coro dell'abbazia di Viboldone, firmato da Ettore Girolamo di Abbiategrasso e datato 1522.

[18] Ho formulato questa ipotesi nel saggio già citato (G. Mulazzani, *op. cit.*, pp. 132-133).

[19] Tutte le decorazioni sette-ottocentesche furono rimosse dal restauro promosso dal senatore Ettore Conti, i cui risultati furono esposti nella citata monografia di A. Pica e P. Portaluppi. Su questo intervento, su quello precedente di Luca Beltrami e su quelli successivi ai bombardamenti del 1943, cfr. L. Gremmo, *I restauri*, in AA.VV., *Santa Maria delle Grazie...cit.*, pp. 196-213.

[20] Sulla cappella di Santa Corona cfr. G. Bora, *op. cit.*, pp. 152-161. I documenti relativi furono pubblicati da P. Cannetta, *Storia del Pio Istituto di Santa Corona di Milano*, Milano 1883.

[21] Sull'importanza di questo dipinto all'interno dell'opera di Tiziano, cfr. R. Pallucchini, *Tiziano*, I, Firenze 1969, p. 93. Per i rapporti del pittore con Milano e per una rassegna dell'ambiente artistico milanese di questo periodo, si vedano i saggi di G. Bora e di P. De Vecchi in *Omaggio a Tiziano*, Milano 1977, pp. 45-54 e 55-86.

[22] G. Bora, *La decorazione...cit.*, pp. 157-158. L'attribuzione era stata proposta, e in seguito non più ripresa, da D. Santambrogio, *L'iscrizione Davalos nella Sagrestia leonardesca di S.M. delle Grazie e due putti ascrivibili a Gaudenzio*, in "Osservatore Cattolico", 8 agosto 1908.

[23] Sulla esatta collocazione della pala nella prima cappella di destra, dedicata a san Paolo, cfr. G. Bora, *La decorazione... cit.*, pp. 160-161.

[24] Sulla singolare decorazione a stucco che occupa la parte inferiore delle pareti laterali, raffigurante *Angeli con strumenti della Passione*, mi sembra da condividere il parere di L. Giordano, *op. cit.*, pp. 103-107, che la ritiene opera di un abile imitatore ottocentesco.

[25] Sul Demìo si veda V. Sgarbi, in *Da Tiziano a El Greco*, catalogo della mostra, Milano 1981, pp. 123-124. Mi sembra corretta la datazione proposta da G. Bora, *La decorazione...cit.*, pp. 161-164, intorno al 1541, anno in cui Domenico Sauli ottenne il patronato della cappella.

[26] La pala d'altare della cappella, raffigurante *San Giovanni Battista e un de-*

voto, è opera di Marco d'Oggiono, e fu trasferita qui, assieme all'altare, dalla sagrestia Vecchia.

[27] Il Torre (*Il ritratto di Milano*, Milano 1714, p. 151) attribuisce gli affreschi e la pala allo stesso Semino, mentre A. Pica, *Restauro della Cappella Marliani in Santa Maria delle Grazie a Milano*, in "Arti", 7, 1975, pp. 31-36, li assegna ad Aurelio e G. Pietro Luini. G. Bora, *La decorazione...cit.*, p. 170, data la decorazione al primo decennio del Seicento e propone con qualche cautela il nome di Francesco Nappi.

[28] Su quest'opera del Cerano cfr. G. Bora, *La decorazione...cit.*, pp. 175-176, e M. Rosci, *Mostra del Cerano*, Novara 1964, pp. 118-119.

[29] Il restauro, finanziato da privati, è stato condotto da Claudio Fociani (1985).

[30] La corretta attribuzione è stata ripresa da G. Bora, *La decorazione...cit.*, p. 178, dopo che, riportata dal Caselli, (*Nuovo ritratto di Milano in riguardo alle belle arti*, Milano 1827), era stata successivamente dimenticata.

[31] Questa cappella appartenne in passa-

to ai Borromeo ed è documentato un intervento di ristrutturazione promosso da san Carlo (che volle seppellire qui i propri genitori). Il compito venne affidato, nel 1575, a Pellegrino Tibaldi. Le tracce dell'opera di Tibaldi vennero cancellate dall'intervento di restauro del 1935-1937. Il progetto di Tibaldi è stato rintracciato dal Bora nell'Archivio Arcivescovile di Milano: G. Bora, *La decorazione...cit.*, p. 164.

[32] L'identificazione del dipinto, che si deve a Cesare Alpini, è riferita da G. Bora, *La decorazione...cit.*, p. 180.

Referenze fotografiche
Archivio Electa, Milano
Archivio fotografico Motta,
Milano
Antonio Quattrone, Firenze
© The Royal Collection,
Her Majesty Queen Elisabeth II,
Windsor

Questo volume è stato stampato dalla Elemond s.p.a.
presso lo stabilimento di Martellago (Venezia)
nell'anno 1999